EVEREST
1350

AYŞE KULİN / ESERLER

1. *Güneşe Dön Yüzünü* (Öykü)
2. *Bir Tatlı Huzur* (Biyografi)
3. *Foto Sabah Resimleri* (Öykü)
4. *Adı: Aylin* (Biyografik Roman)
5. *Geniş Zâmanlar* (Öykü)
6. *Sevdalinka* (Roman)
7. *Füreya* (Biyografik Roman)
8. *Köprü* (Roman)
9. *İçimde Kızıl Bir Gül Gibi* (Deneme)
10. *Babama* (Şiir)
11. *Nefes Nefese* (Roman)
12. *Kardelenler* (Araştırma)
13. *Gece Sesleri* (Roman)
14. *Bir Gün* (Roman)
15. *Bir Varmış Bir Yokmuş* (Öykü)
16. *Veda* (Roman), *Veda* (Çizgi Roman)
17. *Sit Nene'nin Masalları* (Çocuk Kitabı)
18. *Umut* (Roman)
19. *Taş Duvar Açık Pencere* (Derleme)
20. *Türkan-Tek ve Tek Başına* (Anı-Roman)
21. *Hayat-Dürbünümde Kırk Sene* (Anı-Roman)
22. *Hüzün-Dürbünümde Kırk Sene* (Anı-Roman)
23. *Gizli Anların Yolcusu* (Roman)
24. *Saklı Şiirler* (Şiir)
25. *Sessiz Öyküler* (Öykü Derlemesi)
26. *Bora'nın Kitabı* (Roman)
27. *Dönüş* (Roman)
28. *Hayal* (Anı)

ÖDÜLLER

1988-89 / Tiyatro ve TV Yazarları Derneği, En İyi Çevre Düzeni Dalında Televizyon Başarı Ödülü

1995 / Haldun Taner Öykü Ödülü Birincisi

1996 / Sait Faik Hikâye Armağanı Ödülü

1996 / 3. UAT En Başarılı Yazar Ödülü

1997 / Oriflame Roman dalında Yılın En Başarılı Kadın Yazarı Ödülü

1997 / Nokta Dergisi DORUKTAKİLER Edebiyat Ödülü

1997 / İ.Ü. İletişim Fakültesi, Roman Dalında Yılın En Başarılı Yazarı Ödülü

1998 / Oriflame Edebiyat Dalında Yılın En Başarılı Kadın Yazarı Ödülü

1998 / İ.Ü. İletişim Fakültesi Roman Dalında Yılın En Başarılı Yazarı Ödülü

1999 / Oriflame Edebiyat Dalında En Başarılı Kadın Yazarı Ödülü

1999 / İ.Ü. İletişim Fakültesi Roman Dalında Yılın En Başarılı Yazarı Ödülü

2000 / Rotaract Yılın Yazarı Ödülü

2001 / Ankara Fen Lisesi Özel Bilim Okulları Yılın Yazarı Ödülü

2002 / Tepe Özel İletişim Kurumları Yılın En İyi Edebiyatçısı Ödülü

2003 / AVON Yılın En Başarılı Kadın Yazarı Ödülü

2003 / Best FM Yılın En Başarılı Yazarı Ödülü

2004 / İstanbul Kültür Üniversitesi Yürekli Kadın Ödülü

2004 / Pertevniyal Lisesi Yılın En İyi Yazarı Ödülü

2007 / Bağcılar Atatürk İ.Ö. Ok. & Esenler-İsveç Kardeşlik İ.Ö. Ok. Yılın Edebiyat Yazarı Ödülü

2007 / Türkiye Yazarlar Birliği VEDA isimli romanı ile Yılın En Başarılı Yazarı

2008 / European Council of Jewish Communities Roman Ödülü

2009 / TED Bilim Kurulu Eğitim Hizmet Ödülü

2009 / Kocaeli, 2. Altın Çınar Dostluk ve Barış Ödülü

2009 / Kabataşlılar Derneği Yılın En İyi Yazarı Ödülü

2010 / Best FM 1998-2008, 10 Yılın En Başarılı Kitabı

2010 / Kabataşlılar Derneği Yılın En İyi Yazarı Ödülü

2011 / İTÜ EMÖS Yaşam Boyu Başarı Ödülü

2011 / Orkunoğlu Eğitim Kurumları, Yılın En Başarılı Yazarı Ödülü

2011 / ESKADER Kültür & Sanat Ödülleri, Hatırat Dalında HAYAT & HÜZÜN

2011 / FAREWELL (VEDA) ile Dublin IMPAC Edebiyat Ödülü Ön Adayı

2012 / Medya ve Yeni Medya En İyi Yazar Ödülü

2013 / Kültür ve Turizm Bakanlığı, Toplumsal Duyarlılığa Katkı Ödülü

2013 / Lions Başarı Ödülü

Sevdalinka'nın Bosna-Hersek telif geliri savaş mağduru çocuklara, *Kardelenler*'in telif geliri Kardelen Projesi'ne, *Sit Nene'nin Masalları*'nın telif geliri UNICEF Anaokulu Projesi'ne, *Türkan-Tek ve Tek Başına*'nın özel baskısının ve *Türkan* tiyatro oyununun telif gelirleri ise ÇYDD eğitim projelerine bağışlanmıştır.

ayşe kulin

Handan

§

Yayın no **1350**
Türkçe Edebiyat **497**

Handan
Ayşe Kulin

Editör: Cem Alpan
Kapak tasarımı: Beste Doğan
Sayfa tasarımı: Atahan Sıralar

1. Basım: Ekim 2014 (150.000 Adet)

ISBN: 978 - 605 - 141 - 797 - 4
Sertifika no: 10905

Baskı ve Cilt: Melisa Matbaacılık
Matbaa sertifika no: 12088
Çiftehavuzlar Yolu Acar Sanayi Sitesi No: 8
Bayrampaşa/İstanbul
Tel: (0212) 674 97 23 Faks: (0212) 674 97 29

EVEREST YAYINLARI
Ticarethane Sokak No: 15 Cağaloğlu/İSTANBUL
Tel: (212) 513 34 20-21 Faks: (212) 512 33 76
e-posta: info@everestyayinlari. com
www. everestyayinlari. com
www. twitter. com/everestkitap
facebook.com/everestyayinlari

Everest, Alfa Yayınları'nın tescilli markasıdır.

Büyük ustam Halide Edib'e, Müslüman Türk kadınının
özgürlük ve eşitlik sürecindeki değerli katkıları için şükranla

ve

Sevgili arkadaşım değerli yazar M. Murat Somer'e
Handan'ın yazılması için verdiği ilhama gönül dolusu teşek-
kürle...

ADIMI BABAANNEM KOYMUŞ BENİM

Gözlerimi açtım. Önce bembeyaz tavanı, sonra da üzerinde ağaç gölgelerinin oynaştığı duvarı gördüm.

Neredeyim ben? Buraya nasıl geldim? Ne zaman geldim? Dirseğimin üzerinde doğrulup etrafıma baktım.

Tanımadığım bir odadayım. Kim getirdi beni bu odaya? Ne zaman getirdi ve yüz yıllık bir uykuya bıraktı ki, uyanışım böyle sancılı?

Kaç zamandır uyumaktayım ben sahi? Kemiklerim üzerinde yattığım şilteyle âdeta bütünleşmiş, elim, kolum ve kafam uyuşmuş olduğuna göre, dün geceden beri mi, üç gündür mü, üç yıldır mı, yoksa üç yüz yıldır mı?

Neden hiçbir şey hatırlamıyorum?

Gözlerim perdenin aralığından sızan gün ışığında dans eden toz zerreciklerinde, boş bir gayretle anımsamaya çalıştım. Kafam kazan gibi, hâlâ çok uykum var. Yastığıma yaslanıp etrafımı incelemeyi sürdürdüm.

Duvarlar ve perdeler beyaz olsa da, bir hastane odası değil burası.

Bilirim hastane odalarını. Kokuları, dokuları başkadır. Duvarlarının illa beyaz olması da şart değildir üstelik. Benim unutamadığım hastane odasının duvarları açık maviydi. Doktorun gömleği koyu maviydi, Haşim'inki ince mavi çizgiliydi. Şu işe bakın ki, benim üzerimdeki, bağcıkları arkadan bağlanan hasta geceliği de mavi çiçekliydi. Oda çok soğuk olmalıydı ki, üşüyordum. Dişlerim birbirine vuruyordu, tuhaf bir ses çıkararak.

"Bebek duruyor mu?" diye sormuştum başımda dikilen doktora. Sesim taraz tarazdı, boğazım yanıyordu.

"Yormayın kendinizi. Dinlenin şimdi, sonra konuşuruz."

"Söylesenize, bebeğim yaşıyor mu?"

Bana cevap veren olmamıştı. Uzaktan annemin sesini duymuştum. Annemin sesini nerede olsa hep duyarım ben. Öte dünyalarda bile olsa, yine duyarım. Uykumda dahi gelir, fısıldar kulağıma. Annem o sırada hayattaydı ve daha çok gençsin, yavrum, diyordu bana, bir bebeğin daha olur, odanın derinliğinde bir yerden. Haşim ve doktor, bir orkestra şefinden işaret almışçasına aynı anda öksürmüşlerdi. Oda lizol kokuyordu. Haşim yatağımın yanında dikiliyordu. Kül gibiydi rengi. Yüzünde tuhaf bir ifade vardı. Merhamet desem değil, şefkat hiç değil. Bezginliğe varan bir hayal kırklığı gibi, daha çok. O an bana söylemek isteyip de söyleyemediğini, içinde sabırla saklayıp on ay sonra söylemişti.

Ben psikolojik terapi sırasında aldığım ilaçlar yüzünden on iki fazla kiloyu vücuduma yaymış olarak, ince uzun hayal gibi bir genç kızdan bir iri kadana kadına dönüşmenin acı gerçeğiyle mücadele etmekteyken... Haince, lafını hiç sakınmadan, hemen sadede gelerek söylemişti. Üstelik evlilik yıldönümümüzde...

Hatırladım işte!

Geçmişimle bağlarımı kopardığım zamanlarda, o mavi hastane odasıyla hatırlarım, unuttuklarımı. Çizgili gömleğiyle başımda dikilen kocamın gözlerindeki ifadenin bende yarattığı yıkıntıyla dönüş yaparım belleğime. Çünkü hayatımın dönüm notasıdır o an. Halk dilinde dış-gebelik diye bilinen durumunun, milyonlarca kadın arasında bana isabet ettiğini ve diğer tüpümde de yapışma olmasından dolayı, bundan böyle asla çocuk doğuramayacağımı öğrendiğim ve işte bu yüzden ömrümün geri kalanının hep yalnızlıklar içinde geçeceğini sezdiğim andır.

Unutamam.

Şimdi de tıpkı o günkü gibi. Ancak, o mavi hastane odasından çağrışımla artık her şey net de kafamda, sadece buraya ne zaman ve neden geldiğim hâlâ dumanlı. Çok içmiş olmalıyım yatmadan önce.

Şu anda içinde bulunduğum oda, hayır, kesinlikle bir hastane odası değil. Enerjisi, duvarlara sinmiş fısıltıları başka. Bambaşka.

Bir hapishane hücresi de değil, küçüklüğüne rağmen, çünkü yatağımın çaprazında bir hasır koltuk var, karşı duvarda bir manzara resmi asılı ve perdesinden anlıyorum ki, penceresi geniş.

Oysa bir hastane odası olabilirdi, hastayım çünkü ben. Ruhum hasta. Uzun bir zamandır hasta ruhum. Hapishane hücresi de olabilirdi, çünkü suçluyum aynı zamanda. Gerçeklerle yüzleşemediğim için suçlu ruhum. Bedenimse, hasta ve suçlu ruhumu taşımaktan çok yorgun.

Kapattım gözlerimi, uyudum yine.

Yeniden uyandığımda, perdenin aralığından bu kez güneş sızmıyordu içeri, ama oda etrafımı görebileceğim kadar aydınlıktı. Yattığım yerden, el yordamıyla başucu lambasının düğmesini aradım. Bulamayınca doğruldum, ayaklarımı yere sarkıtıp oturdum yatakta. Tuvalete gitmeliyim diye düşündüm. Ayağa kalkmaya yeltenince yerde, yatağın hemen yanında bir şeye bastım. Ayağım kaydı, gerisin geriye yatağa düştüm. Toparlandım, eğildim ve aldım yerdeki o şeyi. Bir kitap! Kapağında, yüzü hayal gibi belli belirsiz bir genç kadın resmi var. Elimde kitap, tuvaleti arandım uyku sersemi, ışığını yaktım ve kitabın adını okudum: *Handan.* Aynaya baktığımda ise, çiğ ışıkta bu adın canlısı belirdi karşımda. Yakından tanıdığım, yorgun, bezgin ve hafızasız Handan! Kendinden kurtulmak için unutmayı seçen ve fakat onu dahi beceremeyen. Dışarıya verdiği görüntü ise, şu işe bakın ki tam tersi. Tuttuğunu koparan bir kadın imajı. Kimse bilmiyor kopardıklarından elinde kalanın kocaman bir yalnızlık olduğunu.

Kafamı musluktan akıttığım soğuk suyun altına tuttum bir süre. İyice ayıldım. Kim bilir hangi otel müşterisinin unuttuğu bu eski püskü sararmış romanı dün gece başucumdaki konsolun çekmesinde bulup şafak sökene kadar okuduğumu iyi kötü hatırlıyordum artık. Sonra yorgunluktan, uykusuzluktan sızmışım demek ki.

Ölüm uykusuna yatar gibi hem de.

Islak saçlarımı havluya sardım, kitabı alıp odaya geçtim. Tekrar yatağa girdim. Başucu lambasının ışığını tam kitabın üzerine düşecek şekilde ayarladım. Şanslı sayılırım yine, kasaba otellerinde yatakta okumaya yetecek kadar ışığı olan başucu lambalarını bulmak kolay değildir. Malum, Türkler okumaz. Burası şansıma, yabancı konuklar için tasarlanmış olmalı.

Saat kaç, bilmiyorum. Bilmek de istemiyorum. Kitabı bitirene kadar çıkmayacağım yataktan. Karnım acıksa da çıkmayacağım. Acıkırsam eğer, kadın dergilerinin diyet sayfalarında yazdığı gibi, kalçama ve karnıma depolanmış yağlarımı yaksın bedenim. Önce dün gece okumaya başladığım hayal mahsulü *Handan*'ın sonunu öğrenmeliyim, çünkü kitabı okudukça görüyorum ki, belli bir yaştan itibaren hatalarımız, günahlarımız ve sevaplarımızla ikiz kardeş gibi benzeşiyoruz adaşımla. Haliyle sonunu merak ediyorum romanın, görelim bakalım benzerlik nereye kadarmış?

Üstelik rasgele konmuş değil benim adım. Handan adını babaannem seçmiş bana. Yüzü, gözümün önünde beliriyor, kendine has ikna tınısıyla, ilk çocuğunu, beni bekleyen annemin usul usul beynini yıkarken.

"Bak kızım, bir roman okuyorum, kahramanı öyle zarif, öyle güzel ve akıllı bir kadın ki, herkesi büyülüyor, tesiri altına alıyor. Koskoca Halide Edib onca isim arasında baş-kahramanı için boşuna seçmemiş bu adı, lügate baktım, me-ğer handan, şen ve neşeli demekmiş. Bebeğimiz kız olursa, Handan pek münasip bir isim. Öyle değil mi ama? Ha? Ne dersin kızım? Ha?"

Annem, "Ama ben de birkaç isim düşündüm," diye ge-velese de, babaannem pes etmemiş, gelininin kalan hami-leliği boyunca Handan da Handan diye tutturmuştur. Yine de tüm sorumluluğu babaanneme yüklememeli; dünyamıza o henüz romanı bitiremeden, doktorun verdiği tarihten iki hafta önce buyurduğum için, benim de katkım var bu adı taşımamda. Sözlüğe bakmaya üşenmeyen babaannem, ben öyle aniden doğuverince romanın sonuna bakmayı ihmal etmiş olmalı, çünkü Handan ölüyor mu, kalıyor mu öğren-meden, yazdırmışlar adımı nüfusa.

Alnıma böyle çakılmış işte, roman kahramanı *Handan*'ın pek de iç açıcı olmayan kaderi.

Ey anneler, babalar, çocuklarınıza olur olmaz roman kah-ramanlarının adını vereceksiniz illa, iki kere düşünün bir zahmet! İsmini seçtiğiniz bu kahraman mutlu olmuş mu, yüzü gülmüş mü, sonu nasıl gelmiş öğrenin önce. Seçtiğiniz isim, çocuklarınızın hayatını gölgelemesin, yoksa büyüdük-lerinde, adını koyan kişilere lanet etmeleri kaçınılmaz olur. İşte ben mesela, *Handan*'ı okudukça, hayatımı çıkmaz so-kaklara yönlendirmiş olduğu için adımı seçen babaanneme saydırıp duruyorum.

Babaannem beni duyabilseydi, nankör, derdi. Hatta ro-man kahramanıyla kendi kaderim arasında bağ kurmaya çalıştığım için, beni deli olmakla itham ederdi. Kendi mutsuzluklarını hep kendin yarattın, suçu başkalarında arama, derdi. Gerçekten bahtsız onca insan varken etrafta, senin ne eksiğin var ki kendine acıyorsun, aç mısın, açık mısın ki diye sorardı.

Dünyanın en bahtsız insanı elbette değildim ama kendimi bildim bileli sonu gelmez bir arayış içindeydim. Beni sevenleri ben sevemedim, benim sevdiklerim de beni sevmediler nedense. Ne zaman, 'işte budur,' dedimse, nihayet nefeslenip bir erkekte karar kıldımsa, hatta iş hayatımı yoluna koyduğumu sandımsa, karşıma hep bir sorun çıktı.

Şansımın yaver gittiği hiç mi olmadı?

Oldu belki, fakat sürekliği olmadı. Umutla başladığım her ilişkide ve her elimi attığım işte, bir süre sonra hüsrana uğramak kaderim oldu âdeta. Bir sevgiliden ötekine, bir işten diğerine savrulup durmama erken doğumumdan zaten belli olan aceleciliğimin, fevri davranışlarımın, çabuk kızıp sonradan pişman olacağım ani karar verme huyumun neden olduğunu düşünmüştüm. Oysa şimdi, şu elimdeki kitabı okurken görüyorum ki, mutluluğun sürekli avucumdan kaçmasından, huyum kadar adım da sorumluymuş! Yaşamıma, adı Halide olan yazarın yarattığı *Handan*'ının gölgesi vurmuş. Şu işe bakın ki, babaannemin adı da Halide'dir üstelik!

Bu durumda babaanneme kızmamak elde mi?

"H" HARFİ

Adımın ilham kaynağı olan kitabı on yedi yaşıma bastığım doğum günümde, bana Konya'dan getirdiği altın bir Mevlevi yüzüğü ile birlikte armağan etmişti, babaannem. Yüzüğü o gittikten sonra hemen çıkartmak üzere parmağıma takmış, kitabı ise okumadan bir kenara koymuştum. *Ateşten Gömlek*'i ortaokuldayken, *Sinekli Bakkal*'ı ise lisede okutmuşlardı bize. Hem okunacak onca çağdaş roman varken geçmiş zaman yazarından iki kitabı yeterli bulduğumdan, hem de ısrarcı babaanneme tepkisel nedenlerle okumamıştım *Handan*'ı. Ben de her genç gibi, anneme babama başkaldırarak, aile büyüklerimi küçümseyerek yaşıyordum ergenlik çağımı. Üstelik benim ergenliğim geç başlamış, uzun sürmüştü. Sınıfımdaki kızlardan iki yıl geç adet gördüğüm için boyum kazık gibi uzamış, huysuzluğum, uyumsuzluğum liseyi bitirene dek sürmüş, dikbaşlılığım, on sekizimi sürerken kendiliğinden geçmişti. Kaderde, ergenlik çağımda sırf inat olsun diye okumadığım bu kitabı, menopoz çağımda okumak varmış!

Oysa günlerden bir gün, henüz şafak bile sökmeden yollara düşüp kendimi bir Ege kasabasında bulmasam, tesadüfen bu otelcikte kalmasam, otelin bağlara ve mehtaba bakan terasında akşamüstü içtiğim şarabı beğenip ikinci şişeyi de odama taşımasam, günlerin uykusuzluğunu, yorgunluğunu ve kederini şarapla harmanlayıp erkenden sızmayacak, böylece gece yarısı tamamen ayılmış uyanıp başucumdaki çekmecede bulduğum, bana adını veren *Handan*'ın öyküsünü elime alıp nerdeyse yirmi beş yıl gecikmeyle okumaya başlamayacak, kaderlerimizin benzerliğini bilemeyecektim.

Her şerde hayır vardır sözünü doğrularcasına, bu yataktan yepyeni bir Handan olarak çıkacaksam, iyi oldu bu gecikme. Belki de en doğru zaman buydu *Handan*'ı okumak için. On yedi yaşımda gözümden kaçabileceklere, şimdi gönül gözüyle bakmanın, kişiler ve isimler arasındaki sırrı görmenin tam da zamanıydı.

Kimse beni saçmalamakla suçlamasın. İçimden bir ses bana diyor ki, insanlar sadece yakınlarına çekmiyor, adlarını taşıdıkları kişilere de çekebiliyorlar, hatta o kişiler kurgu karakterler olsalar bile.

İnanmıyorsunuz, değil mi?

Hatta şu satırları okurken bana deli gözüyle bakıyor olmanız da pek muhtemeldir. Hiç aldırmıyorum buna. Çünkü biliyorum ki, varoluşumuzun, algılayabildiğimizin ötesinde, bir başka boyutu daha olduğuna inanan milyonlarca kişi var ve işte bunlar, bilmediğini bilen kişilerdir. Ben de bu bilmediğini bilenlerin arasına katıldım şu an itibariyle. Oysa çoğumuz bilmediğinin farkında değiliz. Dini inançları güçlü olanlar kendilerini hiçbir şeyi sorgulamamanın rehavetine bırakmışlar, tuhaf bir tembellik içindeler. Bilime takıntılı olanlar ise her şeyi mantıkla, kanıtla çözmenin kibrine kapılmışlar.

Ben de onlardan biriydim; kapı gibi üniversite diplomamla, yoluna koyduğum iş hayatıma güvenir, aşk ilişkilerimin başarısızlığını kısmete yüklemeyi pek küçümserdim. Arkadaşlarımın peşine takılıp falcılara gitmez, burç okuyanlarla işim olmazdı. Ama artık hissediyorum ki, ne yazıldıysa, o olacak. Şarkıdaki gibi, *Que sera sera!* Bunun nedeni, başımıza gelenlerde dinle, mantıkla veya bilimle alakası olmayan binlerce tesadüfün de rol oynaması.

Her neyse, lafı uzatmayayım, demek istediğim şu:

Handan'ın H'sında görsel bir beyan var, bence: Yan yana duran iki kişiyi ortasından iterek ayırmaya çalışan bir kol gibi tasarlanmış. Birbirine değmesi yasaklanmış iki uzun boylu insanı temsil ediyor sanki, H harfi. Uzun boylulardan biri bensem, diğeri hayatıma çoktan katılmış olması gereken ruh ikizim, hatta eşim olmalıydı, ama olamadı, çünkü aramızdaki yatay çizgi birleşmemizi önleyen engel.

Mantıksız ama içimdeki duygu aynen böyle!

Ama bu, tedirgin edici bir duygu. Bu yeni ben, elimdeki romandan bana sızan *Handan*'ın enerjisi olmalı...

Eskisi, mücadeleden korkmayan Handan'dı. Önüne dizilen tüm engellerle başa çıkmaya hazır, horoz gibi diklenen bir Handan'dı. Kendini kadere, sırlara, harflerin gücüne asla teslim etmeyen. Hatta yalnızlığına alışmış, yalnızlığıyla barışık.

Hangisi daha iyi acaba?

Hayata kafa tutan Handan mı, kaderini kabullenen, boyun eğen *Handan* mı?

Bu soruyu yanıtlayabilmek için önce yaşadıklarımı baştan sona gözden geçirmem gerekiyor. Belki de en doğrusu, işe babaannem Halide ile yazar Halide'nin Handanlarını kıyaslamakla başlamak. Öyle diyor kulağıma sürekli fısıldayan içimdeki ses!

İyi de, nereden başlayacağım? Herhalde çocukluğumuzdan değil. Okuduğum kadarından öğrendiğime göre, Halide Edib'in kahramanı *Handan*'la çocukluk yıllarımızda bir benzerliğimiz yok. O öksüz bir çocukmuş. Kanadı kırık kuş! Babasının ikinci eşinin elinde, üvey kız kardeşleriyle birlikte büyümüş. Ben öz ana-baba, hatta çifte öz büyükanne ve dede ile geçirdim çocukluğumu. O İstanbul'da konaklarda yaşamış. Biz, anneannemin Güzelyalı'daki bahçeli evinin kat karşılığı yaptırılan ve birkaç yıl sonra deniz doldurulduğu için sahilini kaybeden apartmanın değişik dairelerinde oturduk yakın akrabalarımızla. Osmanlı paşalarının Avrupa görmüş İstanbullu çocukları değil, Cumhuriyet'in İzmirli memur çocuklarıydık. Yani, ilk aşkımızın yeşermeye başladığı yıllara kadar, adlarımızın dışında bir benzerliğimiz yokmuş *Handan*'la.

Ama ya sonrası?

Okudukça görüyorum ki, yirmili yaşlarımızdan itibaren paralel akmış kader çizgimiz.

Sonumuz da aynı mı olacak acaba?

Kitabın okumakta olduğum sayfasını kıvırıp son sayfalarına göz atmak istiyorum ama hemen iradem i kullanıp tutuyorum kendimi. Oyunbozanlık, açıkgözlük yapmak yok! Atlamadan, sırasıyla ve sindirerek okuyacağım bu romanı. Tarih sınavına hazırlanan bir öğrenci dikkatiyle hatta. Okudukça, *Handan*'ın hatalarında kendi hatalarımla da yüzleşecek, ibret alacağım. Okudukça boy aynasına bakıyormuşçasına, kendimi tanıyacağım.

Eğer hatalarımdan ibret alacaksam, belki de en doğrusu, kuzinime yazdığım, her şeyi anlatan o mektupla başlamak. Çünkü nasıl *Handan*'ın bir Neriman'ı varsa benim de sırlarımı paylaştığım bir Oyam vardı. Benimki, üstelik çetin cevizdi, yanlışlarıma durmadan ayna tutar, hatalarımı yüzüme vururdu.

OYA

15/4/1991

Sevgili Oyacığım,

Sana yazmakta çok geciktim ama inan bana bu mektupta okuyacakların beş mektuba bedel.

Sana son yazdığımda, hocasına hayran bir öğrenciydim. Şimdi evlenmenin eşiğinde bir kızım. Aradan geçen zamanda o kadar çok beklenmedik olay oldu ki, şu an sana yazarak anlatamayacağım öyle çok şey üst üste geldi ki, ben bile inanamıyorum gerçek olduklarına.

Ay sonunda annemle babamı evliliğime ikna için oraya geldiğimde, dizinin dibine oturup her şeyi anlatacağım. Ayrıntıları öğrenene kadar şu kadarını bil: Haşim Hoca'yla yıldırım nikâhı kararı aldık. Şaşırdın, değil mi?

19

Her öğrencinin başına gelir dediğin şey, yani öğrencilerin hocalarına hayran olması, zannettiğin gibi geçici bir rüzgâr değilmiş. Yaşadıklarımızı şu anda yazmayacağım sana. Sen şimdi bana kızıyorsundur seni merakta bıraktığım için. Ama biliyorsun, ben kendimi yazıyla iyi ifade edemem. Her şey nasıl gelişti, bu noktaya nasıl gelindi, bunları öğrenmek için buluşacağımız günü bekle. Hepsini uzun uzun anlatacağım. Yine de sana teselli mükafatı niyetine bir öncü haber vereyim. Haşim Hoca, ben bizimkilerle ikna konuşmamı yaptıktan sonra, beni ailemden istemeye gelecek İzmir'e. Her şey yolunda gider, ben babamı razı edebilirsem, ay sonunda nişanım var. İstanbul'a yüzükleri takıp döneceğiz. Sonra bana sitem etmeyesin diye, nişan elbiseni hazır etmen için, bak önceden haber veriyorum. Malum, giyimine düşkünsündür.

Yılbaşı tatilinde buluştuğumuzda bana söylediklerini hatırlıyor musun? Bu aşkın sonu yok, o senden hem çok yaşlı hem evli demiştin. Ben ne demiştim? Gerçek aşk engel tanımaz demiştim, değil mi? Bak, aşk engel tanımazmış, işte!

Gerisini İzmir'e geldiğimde karşı karşıya konuşacağız sevgili kuzinim. Teyzeme, eniştene sakın bir şey söyleme. İlk kez, benimkilerden duysunlar.

Seni hasretle kucaklıyor, öpüyorum.

Seni çok seven kuzinin

Handan

Dörde katlanmış mektup karşı koltuktan havalandı, kucağıma düştü. Arkasından da onu bana fırlatan Oya yerinden kalktı, geldi, tam karşıma oturdu.

"Bak, yazmışsın mektubunda, buluşunca her şeyi anlatacağını. Haydi, dökül bakalım," dedi bana.

Her zamanki gibi, Oyaların evinde, onun odasındaki geniş yatakta bağdaş kurmuştuk, ama bu kez küçük kardeşlerimizi odadan dışarı kovalayıp çocukluk ve ilkgençlik aşklarımızı birbirimize fısıldamıyor, gerçekleşemeyecek hayaller kurmuyorduk. Oğlanlar büyümüştü, sokakta kim bilir hangi kızların peşindeydiler. Oya, ifade almaya hazır polis gibi gözlerimin içine bakıyordu.

"Tamam, sen sor, ben söyleyeyim," dedim.

"Hocanla evleniyorsun, öyle mi?"

"İnşallah."

"O zaten evli değil miydi?"

"Boşandı."

"Boşandı mı, boşanıyor mu?"

"Boşandı da ilamını bekliyor."

"Ne demek o?"

"Duruşma oldu bitti, boşanma kararı verildi, kararın belgesi bekleniyor, demek."

"Yuva yıktığının farkındasın, değil mi?"

"O yuvayı ben yıkmadım, Oya! Haşim deli gibi bir çocuk istiyordu. Kaç yıldır evliler, olmuyordu işte çocukları. Ben olmasam da boşanacaklardı."

"Sen kuluçka makineliğine talip oldun, öyle mi?"

"Ben sadece âşık oldum."

"Baban yaşındaki hocana!"

"İnsaf et, babam elli yaşında."

"Hoca kaç yaşında?"

"En fazla kırk civarındadır."

"Nereden baksan yirmi yaş fark var."

"Ne olmuş yani? Büyükannelerimiz de hep öyle evlenmemişler mi?"

"Boş ver bu lafları. Bence sen, Nedim'den intikam almak için evleniyorsun."

"Onu çoktan unuttum ben."

"İnşallah doğrudur. Eğer bir nevi intikam duygusuyla giriştinse bu işe..."

Lafını kestim, "Nedim diye biri yok artık."

"Bak bu tepkin bile gösteriyor ki, unutmamışsın."

"Kızım, sen benim dostum musun, düşmanım mısın?"

"Elbette dostunum. Bu yüzden yırtınıyorum zaten. Sonra pişman olmayasın diye. Nedim yaz sonu dönecekmiş. Sen o geldiğinde, evli olmak istiyorsun ki dersini veresin. Handan ya, hiç olmazsa, dönüşünü bekleyeydin."

"Biz ayrıldık onunla."

"Mektup aracılığıyla, hiç yüz yüze gelmeden. Karşılaştığınızda her şey değişebilir."

"Ben hayatımı beklemek üzerine kuramazdım."

"Ah sabırsız Handan!"

"Yapma be Oya, nasıl böyle konuşursun?! Amerika'ya uçmadan önce bana nikâh kıymasını elbette beklemiyordum. Hadi nişandan da vazgeçtim, bir söz olsun kesemez miydi? Annesini bize yollayamaz mıydı, 'Yuva kurmalarına daha zaman var, ama biz Handan'ı kızımız belledik,' dedirtemez miydi? (Bu aslında benim değil, annemin cümlesiydi.) Nedim'in uğruna az mı kahır çektim ben yıllarca? Evden çıkmam bir meseleydi, eve dönüşüm ayrı meseleydi. Kaç ağız dalaşı, kaç yakalanma, kaç ceza, azar, şu, bu. Hatta düşünüyorum da, istese bal gibi beraber de gidebilirdik. Biz evlenip okuyacağız deseydim, bizimkiler ne yapar eder cebime para koyarlardı, birlikte gidelim diye. Ama ne yaptı beyefendi? Tek bir söz söylemeden, beni bekle bile demeden dört yıllığına bastı gitti. Madem öyle, yolu açık olsun!"

"Çünkü gerek görmedi. Siz zaten sözlü sayılırdınız."

"Ama sadece aramızda... İstese resmileştirebilirdi. Yaz tatillerinde gelebilirdi..."

"Nasıl gelsin, bir taraftan da çalışıyormuş."

"Beni yanına çağırabilirdi."

"Hanginizde para vardı ki? Seni dara sokmak istememiştir."

"Niyet olduktan sonra bir çözüm bulurduk."

"Handan, hani sizinki büyük bir aşktı. Siz birbirinizi için deli oluyordunuz?"

"Büyük aşkın sonu gelemedi. Nedim geçmişte kaldı, Oya. Şimdi, başka biri var hayatımda ve sana yalvarıyorum bana yardımcı olman için. Haşim'le aramızdaki yaş farkının hiç önemli olmadığına annemle babamı ikna et, harika bir adammış de. Onlar seni dinler. Ailenin aklı başında kızı sensin çünkü."

"İyi de, ben inanmıyorum ki buna. Öğrencisiyle flört eden evli bir hocanın nesi harika? O tipik bir genç kız avcısı zamparanın teki!"

"Kabahat onun değil. Çok yakışıklı olduğu için kızlar peşinden koşuyor, ne yapsın?"

"Karısı olursan, sen de bu duruma katlanmak zorunda kalacaksın. Senin gibi, onun gözünün içine bakan sürüyle kız olacak sınıflarda."

"Ben onun gözünün içine bakmadım. O beni şey etti..."

"Kazık boyunla gözüne ilk sen çarptın herhalde."

"Kendi de uzun ya, uzun kızlardan hoşlanıyor olmalı."

"Bu dünyada tek uzun boylu kız sen olmadığına göre, dua et de diğerleri hocanın gözüne takılmasınlar."

"Aşk olsun sana! Sürekli yokuşa süreceğine beni desteklesene."

"Damat adayının desteklenir yanı yok! Tohuma kaçmış bir çapkın!"

"Bana yardım etmeye mecbursun, Oya."

"Nedenmiş o?"

Nasılsa öğrenecek değil miydi?! İçimi çektim, gerçekten zorlanarak ve çok utanarak fısıldadım.

"Çünkü... çünkü... ben hamileyim."

"Aaaaa!" Kuzinim ayaklarını yere sarkıtıp oturdu yatakta, "Atıyorsun!" dedi.

Bu kez ben onun faltaşı gibi açılmış gözlerinin içine baktım.

"Yemin ederim."

"Allah senin cezanı versin!" dedi Oya. Yataktan indi, odanın içinde sinirli bir şekilde dolanmaya başladı. Sonra karşımda durup, "Bilerek mi hamile kaldın? Adam karısını boşasın, seni alsın diye mi yaptın bunu?" diye sordu.

Sesim titreyerek, "Oya, nasıl böyle bir şey düşünebilirsin? Hiç mi sevgin, saygın yok bana?" dedim.

"Ailemiz bu rezaleti hak etmiyor, Handan, madem yiyecektin bu haltı, tedbir alaydın."

"Ben ne bilirim tedbir filan."

"Yatmasını bilmişin ama! Nasıl yapabildin, üstelik Nedim'e âşıkken?"

"Nedim bir söz bile kesmeden gidince kalbim kırıldı. Koca şehirde evimden uzakta, çok yalnız hissediyordum kendimi. Hoca bana yakınlık gösterdi, yol yordam öğretti, yardımcı oldu. Ayrıca o kadar yakışıklı ve hoştu ki, sınıfındaki kızların hepsi vurgundu ona. Ama o, hepsinin arasından beni seçti.

"En aptal seni bulmuş olmalı. Uzunlar aptal olur der, anneannem, meğer hakkı varmış. Kürtaj zamanını geçirmedin inşallah?"

"Ben durumumu fark edince hemen aldırtmak istedim bebeği ama Haşim izin vermedi. Hamile olduğumu öğrendiği günün gecesinde konuşmuş karısıyla. Hemen açtı boşanma davasını. Karısı itiraz etmemiş, kusurlu taraf olduğu için..."

"Neymiş kusuru? Onun da mı sevgilisi varmış?"

"Çocuğu olmuyor ya işte..."

"Aşkolsun sana!" dedi Oya.

Ben o anda, yaptığımın kefaretini ağır ödeyeceğimi bilmiyordum. Omuz silktim, "Onlarınki zaten bitmiş bir evlilikti ama ben evlenmeye mecburum, anlamıyor musun?"

Kuzinim odada dolanmayı kesip geldi yanımda durdu, önce sırtıma canımı yakan bir şaplak indirdi, sonra yatağa oturup kollarını boynuma doladı.

"Dua et de teyzemle eniştemi ikna edelim, yoksa halin duman," dedi.

Bir süre öyle sarmaş dolaş kaldık. Sonra Oya usulca sordu:

"Başkasıyla evleneceğini Nedim'e yazdın mı?"

"İstanbul'dayken yazdım. Buraya gelmeden birkaç gün önce."

"Âlemsin Handan! Bütün kış flört etmişsin adamla, daha yeni mi yazdın?"

"Daha önce yazamadım," dedim.

Elim varmamıştı. Kendimi hocaya âşık zannederken bile, aklım Nedim'deydi ve bütün bunlar başıma ona bir ders vermek istediğim için gelmişti.

Oya, "Keşke kırgınlığını saklayacağına, açık edeydin," dedi. "Belki seni yanına aldırtmanın bir yolunu bulurdu."

"Bulamazdı. Sen de biliyorsun, maddi imkânları o kadar kısıtlı ki..."

"Kızım, sen değil miydin demin istese beni yanına aldırırdı diyen. Tutarsız sen de! Bana bak, sen kalbin kırık olduğu için filan değil de, zengin olduğu için tercih etmiş olmayasın Haşim Hoca'yı?"

"Yok artık! Benimkilerle konuşmak istemiyorsan bahane arama, açıkça söyle."

"Konuşacağım ama saçmalıklarını örtbas etmekten, kıçını toplamaktan bıktım. Bu son olsun, bak!" dedi kuzinim.

"Neyse ki adam hem varlıklı, hem de işi gücü var. Annenle konuşurken bunlar işimi kolaylaştıracak. Parayı kim sevmez! Anasına bak, kızını al!"

"Kalbimi kırıyorsun ama."

"Sen değil miydin evine ilk gidişinde kaleme kâğıda sarılıp bana evin özelliğini, güzelliğini, modernliğini ballandırarak yazan. Aptallık bende ki, işin neydi hocanın evinde diye sormak aklıma gelmedi," dedi.

Bana bakarken Oya'nın yüzünde öyle bir ifade vardı ki, beni hem utandırıyor hem de sinir ediyordu.

HAŞİM

Haklıydı Oya, ona yazmıştım. Hocanın beni çok etkileyen evini en ufak ayrıntısına kadar anlatmıştım. Ama o eve gidişimde hiçbir art niyet yoktu. Beni, son çizimlerimi proje tesliminden önce görmek için evine çağırdığında, davetini garipsememiştim, çünkü öğrencilerden bazıları hocayla içli dışlı olmuşlardı, özellikle proje dönemlerinde onun evine girip çıkıyorlardı. Üstelik hocam evliydi ve o gün karısı da evdeydi. Sarışın, zarif bir kadındı ama beni karısından çok, evi etkilemişti hocanın. Adını duyduğum ama daha önce hiç gitmediğim, bahçeli villaların da bulunduğu bir mahallede, bir apartman dairesinde oturuyordu. Biz üç öğrenci, iki kat merdiveni yürüyerek çıkmış, hafifçe dokunmuştuk zile. Bir Uzakdoğu melodisi... Digilingdong... Digilingdong... Gülmem tutmuştu. Kapı açılınca kimono giymiş bir Japon'la mı karşılaşacaktım acaba?

Kapıyı bize kot pantolonunun üzerine dik yakalı mor bir kazak giymiş olan hocam açmıştı. Mor kazak! Nereden bulmuşsa?

"Hoş geldiniz çocuklar. Kolay buldunuz mu evi?"

"Bulduk, hocam."

Kapının hemen önünde dururken dahi, salonun geniş penceresinden Boğaz'ı görebiliyorduk. Az yürümüş, iki basamakla salona inmiştik. Kulaklarımda sonradan Mozart'ın keman konçertosu olduğunu öğrendiğim klasik müzik, bir vazoda yine sonradan adının lilium olduğunu öğrendiğim upuzun saplı tek bir beyaz çiçek, geniş deri kanepenin önündeki alçak sehpada yan yana dizilmiş minik mumlar, şöminede sahici sandığım için sonradan çok utandığım yapay alevler, simsiyah duvara asılmış Doğançay tabloları, gizli ışıkların aydınlattığı ultra modern döşenmiş salon! Vay be demiştim, vay be, ne evler varmış İstanbul'un Etiler semtinde. İşte tam o anda, karısı belirmişti yanımızda. "Ne içersiniz çocuklar?" diye sormuştu.

"Biz beyaz şarap açmıştık. Katılır mısınız?"

"Biz çay içelim," demişti Demet.

"Sallama?"

Aptal aptal bakmıştık.

"Şimdi demlemek uzun sürer de..."

"Haa! Elbette, elbette," demişti Caner.

"Biriniz mutfağa gelsin benimle." Demet seğirtmişti hemen. Sonradan, yurda dönerken, yolda, "Ay çocuklar, görecektiniz mutfağı, uzay gemisi gibiydi," diye anlatacaktı bize. "Karısını nasıl buldun?" diye sormuştum ben, çay servisini yaptıktan sonra ortalıktan çekilen ve bir daha aramıza katılmayan ev sahibemizi kastederek.

"Nihal Hanım mı? Bilmem, pek konuşkan biri sayılmaz. O da bir başka fakültede öğretim görevlisiymiş. İngiliz edebiyatı mı ne..." demişti, Demet. Sonra evin biraz da tuhafımıza giden modern dekorasyonu hakkında konuşmuştuk aramızda.

"Eee, olsun o kadar, adam memleketin en önemli mimarlarından biri," demişti Caner. Caner bizden ayrıldıktan sonra da Demet'le ikimiz hocanın ne yakışıklı ve ne karizmatik olduğunun, karısının onun yanında sönük kaldığının dedikodusunu yapmıştık.

İkinci gidişimde yalnızdım. Kapıyı yine hoca açmıştı. Yürümüş, salonun orta yerinde durmuş, etrafı süzmüş, tuhaf bir önsezi, biraz da endişeyle sormuştum:

"Eşiniz evde değil mi hocam?"

"Eşim bir kongre için yurtdışında."

"Yaa!"

Bir köylü kızı gibi kıpkırmızı olmuştu yanaklarım. Demek dersler yeni başladığında ısrarlı bakışlarından önceleri gözlerimi kaçırdığım, sonra da ilgisinden hoşlanmaya başladığım hocamla baş başaydım bu evde.

"Bana dosyanı göstermeden önce bir içki ikram edeyim sana. Ne istersin?" demişti.

"Çay."

"Çay? Bu saatte?"

"Ya da buzlu çay... Varsa eğer..."

"Bir kadeh beyaz şarap denemek istemez misin?"

"İçmesem..."

"Sen hiç içki içtin mi Handan?"

"Bira içtim."

"Kaç yaşındasın sen?"

"Yirmi bir olacağım bu yıl."

"Eh, bir kadeh beyaz şarap tatma yaşın çoktan gelmiş."

Az sonra elimde uzun bacaklı, çok soğuk bir bardakta bana sunduğu beyaz şarabı yudumluyordum. Şarap boğazımı hafifçe yakarak mideme indikçe dizlerim çözülür gibi oluyordu. Hafifliyordum. Rahatlıyordum. Tutukluğumdan, ürkekliğimden eser kalmıyordu. Hoca yemek masasının üzerine yaydığı kâğıtlarda projemi inceliyordu ve gizliden ben de onu... Öne eğildiğinde gözünün üstüne düşen saçlarını ince uzun parmaklı eliyle arkaya atıyordu.

Gerçekten çok yakışıklıydı. Bir hocadan çok, bir yüksek lisans öğrencisini andırıyordu. İnce, genç giyimli, havalı.

Bir süre sonra başını kaldırdı, bana baktı ve "İşini beğendim," dedi.

"Gerçekten mi?"

"Tahmin etmiyordum ama evet. Sen gerçekten yeteneklisin Handan."

"Niye tahmin etmediniz ki hocam?"

"Uzun zamandır takdire şayan bir iş görmedim de ondan. Sen iyisin. Devam et."

31

Sanki sırtımdan iki küçük kanat çıkmıştı da, hafifçe yükselmiştim yerden. Şarabımdan bir büyük yudum daha aldım.

"Sevdin mi?"

"Neyi?"

Gözleriyle kadehimi işaret etti, "Şarabını."

"Ha, evet. Çok."

"Sevindim. Şarap, içkilerin şahıdır bence."

Hiçbir şey diyemedim. Ne anlardım ki ben şaraptan filan. Babam rakı içerdi balığın yanında. Arada bir de bira. Biz gençler, düğünlerde, kutlamalarda bira içmeye yeni yeni başlamıştık. İçki kültürüm bundan ibaretti.

"Yanıma gelsene," dedi.

Yok artık! Kıpırdamadım yerimden.

"Kızım, birkaç yer düzelttim projende. Sana nedenini izah edeyim ki, öğren."

Kıpkırmızı oldum. Fırladım, masaya koşup yanında durdum. İkimiz de eğildik kâğıtlara. O bana uzun uzun bir şeyler anlatıyordu ama ben kalbimin çarpıntısından başka hiçbir şey duymuyordum. Nihayet doğruldu, "Anladın mı?" diye soru.

"Anladım," dedim.

"Tamam, düzeltmeleri bu şekilde yapıp teslim et ki sana notunu düzeltilmiş çizimin üzerinden vereyim."

"Teşekkür ederim." Masanın önünde ne yapacağımı bilemeden bir şapşal gibi dikiliyordum "Kaçayım ben, o halde."

"Şarabını bitirmeden mi?

"Az kalmıştı zaten... İçmesem daha fazla..."

"Kaç bakalım," dedi.

Kâğıtları toparladım, proje çantama tıkıştırdım, kapıya yürüdüm.

Sessizce peşimden geldi. Kapının önünde elini uzatıp usulca yanağıma dokundu. Dizlerim ilk yudumu içtiğimde nasıl çözüldüyse, yine taşımaz oldular bedenimi. Ağırlığım kalmamış, ruha dönüşmüş gibiydim, öpecek beni diye düşündüm, galiba öpecek beni. Gözlerimi yumdum. Çekti elini yüzümden.

"Yanakların kızardı, çarptı galiba seni şarap," dedi, "bir taksi çağırmamı ister misin?"

Yutkundum, "Yok, hayır," dedim, "yürürsem açılırım. Teşekkür ederim hocam."

Çıktım kapıdan, merdivenleri tırabzana tutunarak indim. Sokakta yüzüme soğuk çarpınca başım büsbütün döndü. Gözlerim yanıyordu. Rüzgâra karşı yürürken bir damla süzüldü galiba gözpınarımdan dudağıma doğru. Ben ne yapıyordum? Koskoca adamın benden hoşlandığını, bana kur yaptığını sanmıştım, gurur duymuştum bundan. Öpmeye kalkışsa, mani olmayacaktım. Çünkü sevgilimi özlüyordum, bana ateşli, hasret dolu mektuplar yazmasını istiyordum, yanıma gel ya da sensizliğe dayanamıyorum, döneceğim demesini bekliyordum, oysa Nedim'in bana yolladığı mektuplarda sadece gündelik havadisler vardı. Kızıyordum beni hayal kırıklığına uğratan sevgilime. Acaba elinden kaçacağımdan korksa, başka türlü davranır mıydı? Kıymete biner miydim? Ah ne çok ihtiyacım vardı sevgiye. Bu yüzden mi kuyruk sallamıştım hocama? Biri beni kollarına alsın, sarsın, kollasın, teselli etsin istediğim için mi? Yoksa Nedim'e gününü göstermek, dersini vermek için mi? Yanaklarım utançtan ateş gibiydi. Gözlerimi kapamış, öpülmeyi bekleyen halim gitmiyordu aklımdan. Rezil olmuştum, rezil!

"Allah senin belanı versin Nedim," dedim içimden, otobüs durağına yürürken.

Ben hocanın evine tüm gidişlerimde hep birer kadeh beyaz şarap içtim, her seferinde tadının daha çok keyfine vararak.

Ama beşinci, altıncı gidişim miydi neydi, bu kez şampanyayla tanışmıştım.

Bambaşkaydı şampanya. İçimi gazoz içimi gibi keyifliydi, anneannemin limonatası gibi serinleticiydi, dilimde bir meyve tadı bırakıyor ve karnıma değil, dosdoğru beyne gidiyor, mutluluk hormonlarımı etkiliyordu. Kadehe dökülürken oluşturduğu küçük kabarcıkları gibi kıpır kıpır yapıyordu yüreğimi. Ve kanepede yan yana oturduğum hocamın bakışları gözlerimi âdeta delerken, parmakuçları çok hafif dokunuşlarla değiyordu bana. Dudağımın kenarına, enseme, saçıma bir tül hafifliğiyle dokunuyordu. Her dokunuşunda dizlerim çözülüyordu. İçim çekiliyordu. Başım dönüyordu.

Benim o güne kadarki cinsellikle ilgili deneyimim, tenha sokaklarda Nedim'in elini sımsıkı tutmaktan, apartmanımızın holünde alelacele dudağıma kondurduğu öpücüklerden ve birkaç danslı toplantıda onunla çok yakın, yanak yanağa dans etmekten ibaretti. El ele tutuştuğumuz her seferde ellerim ter içinde kalır, kaçamak öpüşmelerde en çok da yakalanmak korkusunun etkisiyle kalbim delice çarpar, dans ederken sevgilimin nefesinin kokusu başımı döndürürdü.

Nedim daha ileri gitmezdi ve sınırı hep o çizerdi. İleri gidecek olsa ben ne yapardım, bilmiyorum. Hakkımda kötü şeyler düşünmesin diye, belki durdururdum onu. Oysa şimdi hocanın elleri yüzümde, boynumda, ensemde dolaşırken içimde ırmaklar akıyordu. Gözlerim kararıyordu. Bana dokunsun, ellerini üzerimden hiç çekmesin istiyordum. Hoca birden parmağının ucunu kadehteki şampanya ile ıslatıp dudağımın üzerinde gezdirmeye başladı. Gözlerimi yumdum. Hiç ama hiç açmadım gözlerimi. Sanki ben görmezsem, yaşadıklarım yaşanmamış olacaktı.

Sonraları, her mahvedişime kendimi, şampanya hep eşlik etti, bana.

NEDİM

Oya üzerine düşeni yapmıştı.

"Kızınızı bilmez misiniz, inatçıdır, aklına koyduğunu yapar, kapıları yüzüne tamamen kapatmadan önce, adamı bir görün, tanıyın, sonra geri dönüş zor olur," diye kaç kere dil dökmüştü babamla anneme. Hem yaşça benden çok büyük hem de hocam olan biriyle evlenmeye kalkışmamı babam bir türlü hazmedemiyordu ama evdeki kadınlar korosu bir ağızdan konuşarak sonunda babamı Haşim'le görüşmeye ikna etmişlerdi. Haşim Hoca (yakında kocam olacak adama hoca demekten vazgeçememiştim bir türlü), elinde kapımızdan zor sığan uzun saplı güllerle ve ta İstanbul'dan taşıdığı, Divan Pastanesi'nin en gösterişli çikolata kutusuyla beni istemeye gelmişti İzmir'e. Onu kot pantolon ve dirsekleri deri kaplı tüvit ceket yerine, ilk kez takım elbiseli ve

36

kravatlı görünce gülmem tutmuştu. Drama eşiğinin yüksek olduğunu, rolünü çoğu kez kötü bir oyuncu gibi abartarak, teatral bir edayla oynadığını nereden bilebilirdim müstakbel kocamın?

Babam, bu evlenme işinin neden bu kadar aceleye getirildiğini anlayamıyordu. Nişanlanmak için yaz tatilini, evlenmek için de diploma törenini bekleyemez miydik? Şunun şurasında ne kalmıştı ki mezun olmama! Annemse sezgilerine güveniyordu, zaten anneler yüreklerinin en derininde kızları için diploma değil koca isterlerdi. Böylece bizden yana tavır aldı. Anneannem de kızını destekledi. Babaannem, evliliği onayladığını belirtti. Onun da kocasıyla arasında on altı yaş fark vardı ve kendi tabiriyle, sırf bu yüzden, *her daim el üstünde* tutulmuştu. Yaşlı kocalar genç eşlerinin kıymetini bilirlerdi çünkü. Ben de babama, evlensek bile tahsilimi tamamlayacağıma dair söz verince, hemen o hafta içinde, aile arasında Haşim'in Kemeraltı'nda bir kuyumcudan aldığı alyansları taktık. Haşim ertesi gün İstanbul'a döndü. Ben tatilin sonuna kadar ailemle kalacaktım.

Birkaç gün sonra, akşam saatleriydi; çalan telefona annem koştu, açtı, alo dedi neşeli bir sesle, ama sonra sesi hemen değişti, yüzü allak bullak oldu. Ağzını eliyle kapatmış, fısır fısır bir şeyler söylüyordu telefonda. Benim hakkımda konuşulduğunu anlayınca gidip kimin aradığını sordum. Geveledi, telefonu bana vermek istemedi. Haşim miydi acaba? Kötü bir şey mi olmuş, başına bir şey mi gelmişti? Çektim aldım telefonu elinden.

"Alo," dedim.

Tanrım!..

"Handan," dedi Nedim'in sesi. O kadar yakından geliyordu ki, bir an onu iki sokak ötedeki evinde zannedip paniğe kapıldım. Dizlerim çözüldü, iki büklüm oldum, durduğum yerde.

"Nedim?"

"Evet, benim. Amerika'dan arıyorum. Mektubun elime bugün ulaştı, Handan. Sen nişanlanıyormuşsun. Doğru mu bu?"

Hayır diye bağırmayı isterdim ama önce öksürdüm, boğazımdaki tarazı temizledim, sonra kırık dökük bir sesle, "Doğru," dedim.

"Yaa!" demekle yetindi. Sessizlik bir müddet devam etti ve nihayet Nedim, "İnanabilmek için bunu senden bizzat duymak istedim. Mademki doğru, sana mutluluklar diliyorum. Allahaısmarladık," dedi.

"Nedim dur, dur, kapatma n'olursun! Dinle bak, sen bana hiç umut vermedin Nedim, öylece çektin gittin, ne bir söz ne bir şey. Ben zannettim ki, beni istemiyorsun zannettim. Çok kötü oldum. Günlerce ağladım ben. Yani bana bekle beni deseydin, ben sana döneceğim filan deseydin..."

"Bütün bu sözlere gerek mi vardı Handan? Biz emin değil miydik sevdamızdan?"

"Ama sen bana hiçbir şey söylemeden gidince..."

"Bir erkeğin bir kızı babasından istemesi için işi gücü, onu yaşatacak imkânı olması gerekir. Baban, 'Neyine güvenerek istiyorsun kızımı?' diye sormaz mıydı, ona ne cevap verirdim? Bende lise diplomasından başka hiçbir şey yoktu ki!"

"Arada hiç gelmedin..."

"Bilmiyor gibi konuşma, kaç kere yazdım sana, hem çalışıyor hem okuyorum. Bu yüzden uzuyor tahsilim. Babanın karşısına çıktığımda, iyi bir işim, evimi geçindirecek maaşım olmalı, döndüğümde askere gitmeden sözleniriz diye konuşmadık mıydı?"

"Mektupların hep şeydi... soğuktu, mesafeliydi."

"Evdekilerden biri okuyacak olursa, başın derde girmesin diye... Neyse, sen nişanlanmışsın zaten. Boşuna vaktini almayayım."

Ağlamaya başladım...

"Nedim, böyle kapatmayalım lütfen... Ben seni (fısıldadım annem duymasın diye) çok sevdim. Ah keşke bunları daha önce konuşsaydık. Ah keşke (hıçkırdım) böyle olmasaydı. Benim üzerimde baskı vardı. Biliyorsun, hep vardı zaten."

"Ne baskısı? Baban evlenmeni istemedi ki, o da hep okumanı istedi!"

"Nedim, ben zannettim ki, beni unuttun, başka biri oldu hayatında..."

"Hayatımda senden başka kimse olmadı benim. Ama senin olmuş işte. Sana tekrar mutluluklar dilerim."

"Dur kapatma..." dedim. Annem tam karşımda durmuş, bana işaretparmağını sallıyordu.

"Pekâlâ, madem pişmansın, madem seni yanlış düşüncelere ben sevk ettim, hemen at nişanı. Yaza geleceğim, o zaman..."

Ne yapıyordum ben! Yaza kadar çoktan evlenmiş olacaktım, çünkü hamileydim.

Lafını kestim Nedim'in.

"Çok geç. Ah çok geç Nedim," ve sonra bencilce ona yükledim ayrılmamızın sorumluluğunu, "ben seni bilirim, asla affetmezsin sen beni. Ağzın söylese yüreğin affetmez. Keşke parana kıyıp bana daha önce telefon edeydin."

"İstanbul'da üniversite yurdundan nasıl arayacaktım yedi saat farkla, söyler misin? Sen nişanı atmıyorsun, öyle mi?"

"Geç kaldık," dedim, "her ikimiz de büyük hatalar yaptık ama ne yazık ki geç kaldık."

Nedim telefonu hiçbir şey söylemeden kapatmış olmalı ki sadece uzayan bir zil sesi geliyordu telefondan. Dırrrrrrrrrrrrrr! Bu lanet ses günlere çınladı durdu kulağımda. Uykularımda bile çınladı. Bu sesi duymamak için, ben o gün bu gündür hep karşı taraftaki kişiden daha önce kapatırım telefonlarımı. Diz çöktüğüm yere yığılmışım ben. Annem bitti başımda, kardeşime seslendi, beni kollarıma girip kanepeye taşıdılar. Annem, babam duymasın diye alçak sesle söyleniyordu:

"Terbiyesize bak sen, kendi bir yüzük takmayı beceremedi kızın parmağına, takılana da karışacak, pişmiş aşa su katacak ta oralardan. Çulsuz serseri. Sen de bula bula onu buldun koca mahallede. Hâkimin oğlu vardı aslan gibi, Özsoyların çocukları vardı, varlıklı insanlardı. Sökeli ailenin yeğeni vardı. Onca gencin arasından gidip en yoksulunu seçtin âşık olmak için. Kan kusturttun bize yıllarca. Zorbela alıştırdık kendimizi, hiç olmazsa okuyor, adam olacak, eli ekmek tutacak, dedik..."

Annem nefes nefese kaldığı için bir an sustu, ben öğürdüm. Yerimden fırlayıp tuvalete koşarken annem peşimden geldi, "Niye öğürüyorsun sen?" diye sordu. Tuvalete eğilmiş, hem öğürüyor hem hıçkırıyordum... Halimi görünce ağız değiştirdi.

"Kızım, madem bu derece âşıksın Nedim'e, at nişanı. Bak, tahsilini tamamlayıp dönüyormuş bu yaz, ablası söylüyordu geçenlerde..."

"Nedim benim için çoktan bitti, anne," dedim.

"O halde nedir bu halin? Ağlamalar, kusmalar?"

"Onu beklenmedik bir anda karşımda bulunca heyecan yaptım."

"Ne istiyormuş?"

Yüzümü yıkayıp kurulamıştım bu arada. Sakinleşmiştim. "Vedalaşmak," dedim. "Nişanlandığımı öğrenmiş. Kırgındı tabii ama olgunluk gösterip bana mutluluklar diledi."

"Atma! Ta oralardan mutluluk dilemek için mi aramış?"

"İnanmamış yazdığıma, bir de benden duymak, emin olmak istemiş."

"Duydu işte. Aramasın bir daha. Bak altüst oldun. Ne de olsa birkaç yıl..."

Lafını kestim annemin:

"Ne birkaç yılı anne, ya! Biz çocukluğumuzdan beri şeydik..." deyiverdim, çünkü sevdik birbirimizi diyemedim.

"Bekleyeydin o halde," dedi annem.

"Rahat mı verdiniz bize? Yok anası gündelikçi terzi, yok babası postanede memur! Aklınızın ucundan geçer miydi burs kazanıp yüksek mühendis çıkacağı? Söyletme beni şimdi anne!"

"Aa, terbiyesize bak! Bacak kadar çocukken dinlemedi bizi de şimdi dank etti kafasına söylediklerimiz. Senin gönlün başkasına takılmış madem, suçu hiç bizde arama."

Odama gittim, kapımı kilitledim, yatağıma attım kendimi, başımı yastığa gömüp kimselere duyurmadan saatlerce ağladım.

Dün gece bu odada *Handan*'ı okurken de ağlıyordum. Gözlerimden usul usul inen yaşlar boynuma, göğsüme damlıyordu. Nâzım'ın *Handan*'la hesaplaştığı sayfalarda hele, tıkanacaktım nerdeyse. Çünkü pişmanlığın insanın yüreğini nasıl yaktığını ben de *Handan* gibi, kendi hatalarımdan dolayı öğrenmemiş miydim?

Yok, doğru değildi bu! En azından kendime karşı dürüst olmalıydım. Tuhaf bir kararsızlıktı benimki. Belki de, kuzinimin dediği gibi, refahı aşka tercih etmekti. Yoksa Nedim'in bana telefon ettiği günün ertesi sabahında sokakta rastlaştığım ablasına neden öyle davranayım ki? Karnımdaki bebeği bile halledebilecek zamanım vardı, çok isteseydim.

Fırının kapısından girmek üzereyken ablası arkamdan seslenmişti.

"Bir dakika bakar mısın Handan? Heyy, Handan, dursana canım..."

"Necla Abla!"

"Konuşmak istiyorum seninle. Dur bir dakika," dedi nefes nefese bana yetişerek.

"Bak canım, sizinki ilkgençlik aşkından daha derin bir sevgiydi. Haklısın, Nedim gitmeden bir yüzük takmalıydı parmağına. Ama bilirsin, çok gururludur, baban tarafından ret edilmekten korktu. Biliyorum zor ama yine de, hâlâ geri dönüşü var bu işin."

"Necla Abla, bitti o iş. Dün akşam vedalaştık biz."

"Biliyorum, biz de dün akşam konuştuk telefonda. Ben yine konuşacağım onunla. Şimdi oturup uzun bir de mektup yazacağım. Senin de bir gururun var, değil mi? Mahalle halkı konuştu durdu sizi, o Amerika'ya, sen de İstanbul'a gidince. Baskı altında kaldınız ailecek. Nedim'in bıraktığı kız olmak istemedin. Şimdi dinle beni, sen bir an önce bu saçma nişanı at. Ben her şeyi halledeceğim."

"Çok geç, Necla Abla. "

"Değil. Sen nişanı bozduğunu ilan et, gerisini bana bırak."

"Artık bizden hayır gelmez. Her ikimizin de gururu kırıldı. Kısmet böyleymiş. Boşuna zorlama, olmaz artık bu iş," dedim.

"Deli gibi âşık olan siz değil miydiniz?"

"O zaman gençtik ikimiz de."

"Hâlâ gençsiniz!"

"Allahaısmarladık, Necla Abla."

Ekmek almaktan vazgeçip koşar adım uzaklaşmıştım, sırtımda Nedim'in ablasının şaşkın bakışlarını taşıyarak. Nedim'le aramdaki son köprüyü de yıkmıştım böylece. Yolda kendimi tüm gücümle tutmuş, ağlamamıştım, ama altdudağımı ön dişlerimle öyle bir ısırmışım ki, morarmıştı dudağım. Nedim ne o yaz ne de daha sonra, bildiğim kadarıyla hiç dönmedi İzmir'e.

❖ ❖ ❖

Kitabı elimden bırakıp indim yataktan. Dolabın yanındaki aynada kendime baktım. O günden bu güne aradan nerdeyse çeyrek yüzyıl geçmiş. Fazla kilolarım karın bölgemde yoğunlaşmış, yirmilerimdeki dalgalı saçlarım, yıllardır sürekli boyanmaktan parlaklığını kaybetmiş ve son günlerde uykusuzluktan çöken gözlerimin ışığı sönmüş. Bana sokakta rastlasa, bu halimle tanır mı acaba Nedim beni? Asla tanımaz. İyi olur! Varsın hayalinde hep ilkgençliğimin tazeliği ile kalayım.

Ya ben? Ben onu tanır mıyım acaba? Kader ona da benim gibi acımasız davranmışsa, saçları dökülmüşse, yıpranmışsa, göbeklenmişse herhalde tanıyamam hemen. Ama göz göze gelirsek... Nedim'in gözlerini, aradan yüzyıl da geçse, tanırım ben. Aklımı başımdan gözleri almıştı çünkü. Tıpkı romandaki *Handan*'ın ilk aşkı Nâzım'ı gördüğünde, mavi gözlerinden etkilendiği gibi.

Gerçi *Handan*'ın Nâzım'la ilk karşılaştıkları 1912 yılında, Osmanlıların son demlerinde, hâlâ varlıklı sayılabilecek bir İstanbul beyefendisinin alafranga konağında değildik; yetmiş yıl sonrasının Cumhuriyet döneminde, İzmir'de orta sınıfın yaşadığı mütevazı bir mahallede yaşıyorduk neticede ve bu karşılaşmanın romantik bir yanı yoktu. Anneannemin geniş mutfak balkonuna çıkıp, evlerimizin arkasındaki boş arsada futbol oynayan mahallenin delikanlılarını seyrediyorduk, bizim sokağın kızları.

"Şu sarı oğlanı görüyor musunuz?" demişti Oya. "Yeni taşınmışlar fırının sırasındaki apartmanlardan birine."

"Hangisi?"

"Kalede duranı."

"Ay çok yakışıklı. Bana nasip olur inşallah," demişti Feyza. Yakışıklıyı daha yakından görebilmek için paldır küldür merdivenlerden inmiş, oğlanların futbol oynadıkları yerde, tellerin arkasında, maçın bitmesini beklemiştik. Ter içinde, itişe kakışa evlerine dağılan oğlanlar önümüzden geçerken göz göze gelmiştim o yakışıklıyla. Mahzun bakışlı mavi gözleri vardı. Cüretkârca bakmıştım gözlerine. Meydan okur gibi. Feyza'ya değil, bana nasip olasın dercesine. İyi ki öyle yapmışım. Eşref saatlerimiz vardır, denk düşerse, yukardakinin bizi duyuverdiği. İşte tam o anı yakalamış olmalıyım ki masum bir flört başlamıştı aramızda. Kaçamak bakışlar, gülümsemeler önceleri, derken hal hatır sormalar...

Daha sonraları okul dönüşlerinde yan yana evlerimize yürürken parmaklarımız hafifçe birbirine değerdi... Lise yıllarında hafta sonları grup halinde sinemaya gittiğimizde, şu tesadüfe bakın ki, biletler dağıtılırken bize hep yan yana koltuklar düşerdi. Kollardı bizi arkadaşlarımız. Nedim ışıklar karanınca kolunu omzuma atardı, başlarımız birbirine değer, nefesimiz karışırdı. Bir yaz tatilinde, varlıklı bir sınıf arkadaşımızın yazlığında düzenlenen ev toplantısında dans ederken ilk kez öpüşmüştük. Kısacası, annemle babamın tüm itirazlarına rağmen ortaokul ve lise boyunca, Nedim sevgilimdi benim.

Acaba Halide Edib nasıl anlatmıştı Rıza Tevfik'ten esinlendiği Nâzım'la *Handan*'ın ilk karşılaşmalarını? Karıştırdım sayfaları, buldum, okudum.

"Yalnız arkasını görebildiğim sarı uzun saçlı bir baş şüphesiz benim sabahleyin seyrettiğim gümüşi dumanlara dalmıştı," diye yazmış:

" ...O vakit koltuktan bülend ve güzel bir vücut yükseldi. Enli omuzları üzerinde koyu, büyük, mavi gözleri, uzun sarışın siması, hassas ve biraz müstehzi ve mütebessim gözüyle Nâzım meydana çıktı. Selim Bey bizi birbirimize takdim etmek için aceleyle, âdeta titreyen bir sesle,

– İşte Handan, Nâzım, dedi.

Evvela Nâzım'ın yüzü biraz mütereddit gibiydi. Fakat beni bir an süzdükten sonra, bütün yüzünü aydınlatan tebessüm dalgalarıyla bana doğru geldi..."

Elbette, aramızda onca kuşak varken, aynı sözcükleri kullanarak tarif edecek halimiz yoktu ilk görüşte âşık olduğumuz erkekleri. Ben örneğin, *"kaslı, heybetli ve terli bir vücut yükseldi, futbol sahasının tozlu zemininden,"* diye yazmamıştım, Oya'nın on dördüncü yaş günümün hediyesi, anı defterime, *"Bir çocuk taşınmış bizim mahalleye, ay inanılmaz yakışıklı, Robert Redford yanında halt etmiş,"* diye yazmıştım, çok iyi hatırlıyorum.

Ama kuşak farkına rağmen, ne kadar da benzeşiyorduk biz, hayali ve gerçek Handanlar. Her ikimiz de ilk görüşte vurulmuşuz sonradan kıymetini bilemeyeceğimiz yakışıklı sevgililerimize. Hatta o benden de çok etkilenmiş ki, kuzini Neriman'a şöyle anlatmış Nâzım'ı:

"Ah Neri, hayalimin en vahşi dakikalarında, bu mükemmeliyeti, bu harikuladeliği düşünmemiştim... Nâzım'ın ziyadar şahsiyeti, büyüklüğü ile küçüldüm, soldum, hiç oldum. Bu bana öyle bir darbe oldu ki, Nâzım'ın parlak ruhu çağlar gibi bir kudretle dudaklarımdan boşanırken duyduğum haz olmasa ağlayacaktım."

Ne çelişki ama biz Handanlarınki! Tüm kalbimizle âşık olalım, sonra da şımarık genç kızlar olarak, sevgililerimize ihanet edelim, gururlarını, kalplerini kıralım! *Handan* benden mert çıkmış, yine de! Telefonla ya da mektupla değil, yüz yüzeyken cesaret etmiş ayrılık kararını açıklamaya:

- Evleniyorum Nâzım Bey, dedim.
Bir iki saniye yüzüne bakmaya korktum. Cevap vermiyordu. İstihza mı ediyordu, ne diyecekti? Her şey fakat bu sükut! Cesaret edip yüzüne baktığım zaman hiç tahmin etmediğim bir şey gördüm. Sakit, ölü bir sarılık. Bilmem belki yeis, herhalde benim bildiğim bir şey değil! Nâzım'ın yüzünde bir şey yavaş ölüyor, mavi gözleri soluyor, hayatı gidiyordu. Bir zaman bana bakmadı, duvara baktı. Sonra ayağa kalktı. Sesi kuru ve cansızdı.
- Gidiyorum, Handan, tebrik ederim, mesut olunuz!

Fakat kapıya kadar gittikten sonra döndü. Bu sefer sesi tamamen başka, Nâzım'da hiç işitmediğim bir cinstendi.

Herhalde Hüsnü Paşa sizin bu gözlerinizi sevmesini bilmemiştir. Ben onları pek, pek çok sevdim, anlıyor musunuz? Pek, pek çok maksattan da çok, Handan.

Sesi, nazarı bana maksadını anlattı. Ellerimi uzatarak geri çekildim.

– Ben başkasının karısı olmayı vaat ettim, dedim.

– Ellerinizi çekiniz, hürmetim arzularınızı yerine getirmek için kafi. Hayır, elinizi tutmak istemem, maksadımın kanatlarını kırdı. Fakat siz yine mukaddessiniz!

Sonra eğildi. Tabure üstünde duran ayağımın ucuna hürmetkâr bir buse bıraktı, omuzları, kolları düşük, çıktı. Bir daha görmedim.

Ben de Nedim'i ne görmüş ne de onunla konuşmuştum o telefondan sonra. Tıpkı Handan gibi ben de hiç sormamıştım, evlendi mi, çocukları oldu mu, mutlu muydu, değil miydi, bilmek istememiştim. Handan, ölüm haberini alana kadar, nasıl habersizse Nâzım'dan, onun hep gerçekleşmesi imkânsız ütopyasının peşinde koşmakta olduğunu düşünmüşse, Nâzım'a tercih ettiği kocasıyla nasıl bir vurdumduymazlık içinde yaşamışsa, ben de aynen öyle yapmıştım.

Nâzım'ın ona sürekli yazdığı ama hiç yollamadığı mektuplar Handan'ın eline Nâzım'ın vefatından sonra ulaşmış, Nâzım'ın onun yüzünden intihar ettiğini ancak o zaman öğ-

renmiş, Hüsnü Paşa'yla çoktan evli olmasına rağmen, yıkıl-
mıştı adaşım.

Ben Nedim'e dair böyle bir haber alsam, ne yapardım
acaba? *Handan*'ın öyküsünü artık pürdikkat, uykuyla savaşarak
okuyordum. Benzerlikler karşısında, sayfaları çevirirken el-
lerim titriyordu. Halide Edib, *Handan*'ı doğrudan doğruya
değil, ancak yakınlarının birbirlerine yazdıkları mektuplar
yoluyla, ona dair tasvirlerle anlatıyordu. *Handan*'ın kendi
sesi, ancak kendi yazdığı bir-iki mektupta duyuldu.

Sadece gölgesini tanıdığımız bu genç kadının, romanda-
ki tüm karakterleri derinden etkileyen gücü, Halide Edib'in
kaleminin marifeti olmalıydı. *Handan*'ın Nâzım'ın intiha-
rından sonraki perişanlığını da, yine kendi ağzından değil,
kuzini Neriman'ın kocasına yazığı mektuptan öğreniyorduk.

*"Handan gırtlağında bir delik açmak ister gibi elleriyle göğ-
sünü çekti, parçaladı. O gece Handan'ın sıtmalı, asabi hırıltıları
ile göğsünden çıkmayan azabı çıkartmak için uğraşan elleriyle
sabaha kadar çırpındık. Artık Handan bir hasta idi... Zavallı,
Zavallı Handan!"*

Bıraktım kitabı yatağın üzerine.

Ne sebat varmış bende! 1910'ların şerbeti fazla kaçmış
baklava kıvamındaki romantizmiyle yazılmış, iç bayıltan
mektupları, satır satır okuduğum yetmiyor gibi, üstüne bir
de aynı özenle hayatlarımızı karşılaştırıyordum.

Hayatlarımızı ve kocalarımızı...

HOCAM-KOCAM

Hayır, benim âşık olduğum erkekler beni bıraktığında ya da öldüklerinde, böyle bin parçaya ayrılmadım hiç. Sanırım tam da bu noktada ayrılıyor *Handan*'la yollarımız. İnsanların aşk uğuna ya da terk edilmenin acısıyla canlarına kıymaları, romanlara yaraşabilir. Ama hayat başkadır! Hayatın gerçek kahramanları roman kahramanları kadar kolay teslim olmazlar ölüme. Olamazlar. Can tatlıdır çünkü. Gerçek hayatta zamansız ölümlere sebep olanlar, hastalıklardır, savaşlardır, kazalardır. İntihar, bir kurtuluş yolu olarak akıldan geçirilir, hatta özenilebilir ama ruhsal bir bozukluk söz konusu değilse, gerçekleştirilmez.

Ben intiharı, ne ihanet ettiğim ilk sevgilim ne de ihanetine uğradığım son sevgilim için değil, Haşim benden boşanmak istediğinde, gerçek sevdamı, dışı çok çekici fakat içi kof bir züppeye feda etmiş olmanın pişmanlığı içinde, Haşim'i vicdan azabından kıvrandırmak için düşünmüştüm. Ama anlık bir düşünceden öteye gitmediydi, *hocam-kocam* için ölmek. Kısa süren evliliğimiz boyunca ben Haşim'e hep *hocam-kocam* diye hitap etmiştim. Önceleri pek hoşlandığı bu hitaptan, anne olamayacağımı öğrendiği andan itibaren nefret etmeye başlamıştı. Sadece bu hitaptan da değil, sanırım bana dair her şeyden! Hamileyken bana gösterdiği ihtimam tam bir kayıtsızlığa dönüşmüştü. Hastaneden eve geldiğim ilk günlerde rahat etmem bahanesiyle taşındığı misafir yatak odasından odamıza hiç dönmedi. Üstelik birkaç kez, tamamen iyileştiğimi, yanıma gelmesini arzuladığımı söylememe rağmen. Evden ben uyanmadan çıkıyor, geç saatlerde dönüyor, benimle sadece zorunlu olduğunda konuşuyordu. Dargın değildik, birbirimizle kavga etmiyorduk. Birbirimize nerdeyse değmiyorduk bile. Yan yana akan ama suları hiç birleşmeyen iki çeşme gibiydik, aynı evin içinde birbirimizin varlığından, sesinden, nefesinden haberdar, fakat tamamen ayrı kanallarda çağıldayan. Giderek birbirini ne seven ne sevmeyen, sırf terbiyeli davranmak adına, her karşılaştıklarında birbiriyle selamlaşan, iki apartman komşusuna dönüştük. Hiçbir müştereğimiz kalmamıştı.

Ben kocamın hayatında yeni bir kız öğrenci olduğundan şüpheleniyordum. Bu şüphenin beni üzmediğini söyleyemem ama yalnızlığı taşımak kıskançlık duygusundan daha zordu.

Fakültedeki arkadaşlarım kendi renkli, hareketli dünyalarının içindeydi, ailem başka şehirdeydi. Ben amaçsız, işsiz güçsüzdüm. Bırakın duvardaki bir resmi, bir kül tablasının bile yerini değiştiremediğim yuvamda, kocası tarafından sevilmeyen gencecik bir kadın olarak, yırtık pırtık ettiğim geleceğimle yapayalnızdım. İlk görüşümde Boğaz manzarasına, modern dekorasyonuna hayran kaldığım lanet evin içinde gönüllü sürgündüm ve başka çarem olmadığına inandığım için boşuna bir gayretle kocamı geri kazanmaya çabalıyordum; uslu, terbiyeli, bakımlı, hatta kocasının dikkatini çekebilmek için süslü püslü bir ev kadınını oynayarak. Çünkü Oya dahil yediden yetmişe, evimin tüm kadınları bana evliliğin yaz-boz tahtası olmadığını, kurtarılması için çaba gösterilmesi gereken kutsal bir kurum olduğunu söyleyip duruyorlardı.

Çoğu kez kafamın dikine giden ben, neden etkileniyordum ki bu söylenenlerden? Annemle babamın, çocuk doğuramayacak bir kadını bundan böyle kim alır endişesi mi bulamıştı bana, yoksa evimin ilginç görkemi mi gözlerimi kamaştırmıştı?

Romanı tekrar aldım elime, biraz daha okudum ve gördüm ki, benim kocam, bencillikte *Handan*'ın hain ve çapkın kocası Hüsnü Paşa'dan çok da farklı değilmiş! Romanlarda da gerçek hayattaki gibi, çapkın kocaların ortak paydası, eşlerinin duygularına karşı bir vurdumduymazlık haliymiş. Yine de, azıcık daha insaflıymış benimki, çünkü en azından son darbeyi vurmak için bir yıl beklemişti. Dram vurgusu yüksek olsun diye özel bir tarihi beklemişti üstelik.

Ben de aynı özel tarihe ne umutlar yüklemiştim kendi hesabıma... Aramızdaki yaş ve statü farkına rağmen, her ikimiz de, özel tarihlerin tüketim esiri, küçük burjuvalardık sonuçta! Nitekim ben, büyük bir iyimserlikle, evlilik yıldönümümüzü aramızdaki buzları eritmek için bir fırsat bilip, bu fırsatı kullanmak istemiştim. Son bir çaba! Son bir çırpınış!

Ona hoşuna gidecek bir armağan hazırlayıp en sevdiği lokantada yer ayırttım, saatlerce kuaför koltuğunda oturup saçıma röfle yaptırdım ve özenle giyinip eve gelmesini bekledim. Yemeğe çıkacağımızı bildiği için eve o akşam vaktinde dönmüştü. Bu, iyi bir işaretti. Buz kovasına koyduğum şampanyayı açmış, kadehlere eliyle doldurmuştu. Bu çok iyi bir işaretti. Ben yüreğimde bir ümit kıvılcımıyla, uzun beyaz kanepede yanına oturmuştum. Elimi tutmuş, gözlerimin içine bakmıştı tatlı tatlı.

"Güzelim," demişti bana, "her ikimize de yeni bir hayat armağan etmeye karar verdiğim için bu konuşmayı özel bir güne denk getirmek istedim. Daha fazla vakit kaybetmeden, ben en çok istediğim şeyin, bir çocuğun peşine düşeceğim, sen de kendinden hayli yaşlı kocandan kurtulup yeni ufuklara kanat açacaksın... Şarkıdaki gibi aynen, *sen kendine kendin gibi taze bahar bul...*"

Bu sözlerle karnımda başlayan bir tuhaf ateş, içimi yakarak göğsüme doğru çıkmaya başladı. O, şarkıyı yanlış makam ve sözlerle söylemeye başlayınca, dilimin ucuna gelenleri nasıl becerebildimse yutarak, "Uzatma Haşim. Boşanmak mı istiyorsun?" diye sordum.

"En doğrusu bu değil mi?"

"Hayır dersem ne fark edecek ki?"

"Hiçbir şey. Er geç boşanacağız. Sen hayatına devam etmek, ben de elli yaşıma basmadan bir çocuk sahibi olmak için."

"O çocuğa daha ana karnındayken klasik müzik dinleteceksin, kozmos dekorlu odasında, saksıda çiçek yetiştirir gibi yetiştirecek, kendin gibi mimar yapacaksın. Kız veya erkek olması hiç fark etmeyecek, senin minik bir kopyan olması için elinden geleni ardına koymayacaksın. Senin gibi yapay bir insancık daha yetişecek, böylece. Zavallı çocuk!"

"Kalbimi kırıyorsun. Oysa ben sana bir hediye hazırlamıştım."

Elini cebine sokup bir zarf çıkardı.

"Hayatını tekrar düzene koyabilmen için sana çok cömert davrandım Handan."

Uzanıp aldım zarfı, içine bakmadan ortasından ikiye yırttım.

"Bense sana sadece ilgini çekeceğini düşündüğüm bir armağan hazırlamıştım (önümüzdeki cam sehpanın alt rafındaki dergilerin altına sakladığım paketi çıkardım). Meksika mimarisine dair bu kitap (uzattım paketi) meğer sana son hediyem olacakmış!"

Paketi aldı, açmadan yanına koydu.

"Teşekkür ederim. Bak ne güzel Handan, anlaşarak ayrılıyoruz. Hep böyle dost kalalım, olur mu?" Şampanya bardağını kaldırıp masanın üzerinde duran benim kadehime değdirdi, çapkın bir ifadeyle gözlerimin içine bakarken, "Haydi, içsene şampanyanı. Biraz tütsülen de yeni anlaşmamızı kutlayalım," dedi.

Benden kolayca kurtulduğu yetmiyor, bir de bonus isti-yordu, hazır şampanya cinleri tarafından ele geçirilmişken ben. Hain fırsatçı!

"Senin bu geceki armağanın sadece bu kitap. Daha faz-lası yok, hocam-kocam. Yeni yaşın da, bir sonraki eşin ve doğacak çocuğun da kutlu ve hayırlı olsun."

Telefona yürüdüm, restoranı aradım, rezervasyonumu iptal ettim, sonra gelip tam karşısında durdum.

"Ben hayatımı yeniden düzene koyana kadar yatak odam-da yatmaya devam edeceğim. Bu arada ben on kasa şampan-ya da içsem, sen kendi odanda kalacaksın, hocam. Yarın ilk iş Fethi Bey'e vekâletimi veririm. Senin tüm özel işlerini o hallettiğine göre, bu işi de o bitirir, değil mi?"

Haşim şaşkınlıkla bakıyordu bana.

"Sen sandığımdan çok daha güçlü çıktın, Handan. Keşke bebeğimiz yaşayabileydi, iyi bir çift olurduk," dedi.

Beni hiç sevmemiş olan bu adama ben de hayretler içinde baktım. Kör müydüm ben? Nasıl gafil avlanmıştım böyle! Hiçbir şey söylemeden çıktım salondan, o sokak kapısına doğru yürürken, ben yatak odama gittim. Odanın kapısı-nı kilitledikten sonra çözüldüm. Dolapta asılı elbiselerimi askılarıyla çekip yerlere fırlattım. Çekmeceleri altüst ettim. Galiba asla anne olamayacağım da o gece iyice dank etti ka-fama. Bir bebeği kollarımda taşıyamayacak, doğuramayacak, emziremeyecektim. Tamam da, ey her şeyi bilen Allahım, neden verdin o halde bana bu geniş kalçaları, bu koca me-meleri diye bağırdım, bari bir sırık gibi dümdüz yaratsaydın beni. Ya da minnacık, kısacık, ufacık tefecik yapsaydın. Bu boyla çocuk doğuramazsın, deselerdi bana, gebeliğe uygun değil bedenin, söyleyecek sözüm kalmazdı. Bir işe yaramayacağını bildiğim dolgun kalçalarımı yumrukladım, memelerimi çimdikledim. Saçlarımı da yoldum avuç avuç. Hastanede sürüyle akrabanın, doktorların, hastabakıcıların önünde doyasıya ağlayamamıştım. Bu gecikmenin acısını çıkarmak istercesine önce başımı yastıklara gömüp, sonra da evde sesimi duyacak kimse olmadığını hatırladığım için bağıra çağıra ağladım. Çok sonra, akıtacak bir damla yaşım kalmadığında, dağıttığım giysileri teker teker toplayıp yerlerine astım, çekmeleri yerleştirdim. O kadar yorgun ve mutsuzdum ki, içim kurumuştu, yatağıma uzandığım an uyumuşum.

Ertesi sabah, Fethi Bey'e verilmiş vekâlete attığım imza ile hayatından çıkmaya hazırdım Haşim'in. Nasıl alelacele evlenmişsek, aynı aceleyle boşandık. Fethi Bey, Haşim'in yırttığım çekinde yazdığı miktarın biraz fazlasını, ayrılık tazminatı olarak hesabıma yatırmıştı. Demek vicdanının sesini parayla bastırmak istiyordu kocam. Varsın öyle yapsın, bu kez itiraz etmedim. Hiç çarçur etmeden, o yıllarda çok yüksek olan faizini kullanmak üzere bankaya yatırdım çekimi.

Baba evine döndüm.

YALNIZ BİR KADIN

Evde beni hiç hesapta olmayan bir başka sıkıntı bekliyordu. Annem perişandı. Bir yıl içinde son bulan evliliğimin utancı yüzünden mahallede kimsenin yüzüne bakacak hali kalmamıştı. Annem beni teselli edecekken, ben kendimi onu teselli ederken, hatta onun hayal kırıklığını da sırtlanmış taşırken buldum.

Birkaç ay boyunca ana-kız evden dışarı çıkmak istemedik. Birbirimize itiraf etmesek de, en çok Nedim'in annesi ve ablasıyla karşılaşmamak için. Annem, dedikodu yaptıklarına emin olduğu komşularına ne söyleyeceğini bilemediğinden ezikti, ben hayatımı rezil ettiğim için üzülüyordum. Asla anne olamayacağım aklıma geldikçe hele, boğulacak gibi oluyordum ama ağzımı açıp kimseye şikâyet etmiyordum. Çaresi olmayan bir duruma karşı söylenecek boş sözlerde teselli aramayacak kadar akıllıydım. Doktorumun verdiği hapları yutup uyuyordum sadece. Aşırı sessizliğim, depresyon geçirdiğime emin olan Oya'yı endişelendiriyordu.

"Sakın bir aptallık etmeye kalkışma," demişti bana Oya, "olan sadece sana olur. Bak vallahi, Haşim fırsatı kaçırmaz, hemen devreye girer, sana görkemli bir cenaze töreni düzenler, mezarının başında dokunaklı bir konuşma dahi yapar, yedisinden kırkına, tüm dualarını okutarak, sırtından takdir toplamasını da bilir ve hemen sonra da yeni sevgilisiyle şampanya patlatmaya gider. Öyle tavlamamış mıydı zaten seni, başını döndüren şampanyayla ve tatlı sözlerle. Sakın, Handan! Genç yaşta öldüğünle kalırsın."

"Hiç öyle bir niyetim yok."

"Niye insan içine çıkmıyorsun o halde?"

Yüzüne nasıl bakmışsam, aklımdan geçenleri okudu.

"Sen şimdi çocuğu olmayacak bir kadını kim alır diye düşünüyorsundur. Pek çok kişi alır. Bir önceki evliliğinden çocukları olan ve başka çocuk istemeyeceklerden tut, bu dünyaya asla çocuk getirmek istemeyenlere kadar. Seni gerçekten sevecek birisi mutlaka çıkacak."

"Beni gerçekten seveni ben yok ettim."

"Vebalini de ödedin. Yakında başka biri çıkar karşına nasılsa, ama ben senin yerinde olsam, üniversiteye dönerdim."

"Haşim'in derslerine mi gireyim? Asla!"

"Mimar olmak şart değil. Fakülte değiştir. Hatta buraya nakil yap."

Babam, naklimi İzmir'e çıkartıp bir an önce üniversiteye dönmem için ısrar ediyordu. Kısmen yaptım dediklerini. Hatamı sürekli yüzüme vuracak olan annemle babamın evinde kalamazdım, ayrıldığım kocamla sık sık karşılaşacağım fakülteme de dönemezdim. Bu nedenle Ankara'da bir üniversitenin grafik-tasarım bölümüne geçiş yaptım. Koca bir eğitim yılı çöpe atılıyordu ama kaybettiklerimin yanında, tahsilimden çalınmış bir yıl neydi ki!

Hayat devam ediyordu, tutundum hayata.

Üniversiteme yakın bir mahallede mütevazı döşenmiş bir zemin katı kiraladım. Eğitim yılı başlayınca, evimi paylaşacak iki arkadaş daha buldum. Aslında kiramı ödeyebilecek param vardı ama böyle yaparak annemle babamın endişelerini hafifleteceğimi düşünmüştüm. Onların gözünde, yabancı bir şehirde üç kızın birlikte kalması, kalbi kırık kızlarının tek başına yaşamasından daha hayırlıydı. Ama aldanıyorlardı. Biz kızların aramızda olur olmaz şeylere gülmesi, birlikte eğlenmesi, gecelerin yalnızlığını paylaşması benim yaralı gönlümü tamire yetmiyordu. Ben, yıldırım hızıyla yaşadıklarımın etkisindeydim hâlâ. Kendi hatam yüzünden kaybettiğim ilk aşkım için pişmandım. Ultra-modern döşenmiş, muhteşem manzaralı evimi ve bana tutkuyu, cinselliği öğreten adamı, ondan nefret etmeme rağmen, unutamıyordum. Tıpkı *Handan* gibi benim de işkencecimi özlediğim anlar olabiliyordu. Ve okudukça görüyorum ki, *Handan* da benim gibi duygusal gelgitler yaşamış. Kalbi Nâzım için çarpmış fakat bedeni onu hazla tanıştıran Hüsnü Paşa'nın esiri olmuş.

Başka benzerlikler yakalamak için hızla göz atıyordum sayfalara.

Sonlara yaklaşırken ayrıntılara daha da dikkat ederek oku-yordum.

Yok, romandaki *Handan* benim gibi göğüslememiş hayatı. Onunki daha çok gönül kırıklığını bahane ederek içine ka-panmak, benim Oyamın karşılığı olan akrabası Neriman'la dertleşerek kendi mutsuzluğunda demlenmek. Üstelik onun hayatına kocasından başka erkek de girmemiş. Tamam, bir büyük aşkı daha var ama benim yaşadıklarımla kıyaslanacak tarafı yok o aşkın. Adaşımınki platonik bir sevdaymış. Ben-se, kırılan gururumu onarmak, hayata tutunmak için bir sev-giliden diğerine koşup durmuştum, terk edilmenin intika-mını almak istercesine. Bu arada fakültemi bitirmiş, stajımı İstanbul'da bir reklam ajansında yapmıştım. Sonra kendime bir başka ajansta iş bulmuş, reklam dünyasının içine dal-mıştım. Erkeklerle omuz omuza çalışırken, onlarla rekabet ederken biraz da erkekleşmiştim hatta.

Beşiktaş'ta işyerlerinin ve ikametlerin iç içe olduğu bir sokakta, annemin amcasından kalma, kirada bir evi vardı. Zemin katın kiracısını çıkartıp, o daireyi kaderin sillesini yediği için acıdığı kızına, yani bana tahsis etmişti. Doğu-ramayacağımı bildiklerinden bana evlenmem için baskı yapmıyorlardı ama ben annemle babamın, eli ekmek tutan kızlarının ayrıca bir de başını sokacağı evi olmasının koca bulmasını kolaylaştıracağına inandıklarına emindim. Er geç gerçekleşeceğini umdukları bir beklenti içindeydiler.

Onlar, Ege havzasındaki tüm dilek ağaçlarına çaput bağ-layıp benden hayırlı bir haber beklerken, benim İstanbul'da keyfim yerindeydi.

Deniz evime kısa bir yürüyüş mesafesinde, çarşı burnumum dibinde, otobüs durakları yakınımda, taksi durağı ise, evin hemen önündeydi. Sosyal hayatım hiç olmadığı kadar hareketlenmişti, işyerindeki erkekler evlenme takıntım olmadığını bildiklerinden, benimle samimi dostluklar kuruyorlardı. Canımın istediği kişilerle flört ediyordum. Tek derdim, izinlerimin kısıtlı olmasıydı. Ajanstaki bekâr kızlar, teker teker evleniyor, balayı iznine çıkıyorlardı; çocukları oluyordu, çocuk izni alıyorlardı. Benim ise yegâne iznim, yıllık kurumsal iznimdi. On beş günü ikiye bölüyor, bir haftasını İzmir'de ailemle geçiriyor, diğer haftasını da işyerindeki bekâr arkadaşlarımla birlikte Bodrum, Side gibi bir sahil kasabasında değerlendiriyordum.

Zaman hızla akıyordu. Hızla!

Erken uyandığım bir sabah, evden çıkıp deniz kenarına yürümüştüm. Güneş, muhteşem bir kızıllığa yaslanan karşı tepelerin ardında yeni yükseliyordu.Yüzümü bu tarifsiz güzelliğe dönerek içimden bir soru sormuştum:

Beni ne bekliyordu?

Yanıtı yine ben vermiştim:

Beni yalnızlık bekliyordu.

İleride bir gün annemle babam bu dünyadan çekip gittiğinde, ben öksüz, yetim ve tek başına kalmayacak mıydım?

Kardeşsiz de, çünkü yegâne kardeşim Amerika'ya yerleşmişti. Ah bu sevdiklerimi elimden alan uğursuz kıta!

Ve kuzinsiz, çünkü Oya da arada evlenmiş, çoluk çocuk sahibi olmuştu, benimle uğraşacak ne hali ne vakti vardı.

Mecburen çocuksuz.

Seyahat etme özgürlüğüm kısıtlanmasın diye kedisiz, köpeksiz, kuşsuz.

Yaşıtlarımın torun seveceği yıllarda, torunsuz.

Keskin bir yalnızlık içinde...

Yalnız bir kadın güçlü olabilir miydi? Mutlu olabilir miydi? Ben bu düşüncelere dalmışken yakınıma park etmiş bir arabanın radyosunda eski bir şarkı çalmaya başlamıştı. Çocukluğumun şarkısıydı. Sözleri de müziği de çok güzeldi. Annemin, teyzemin dudaklarından düşmezdi bir zamanlar. Kulak kabarttım, "*Şu dünyadaki en bilge kişi kendini bilendir,*" diyordu Şenay.

Bazen bir şarkı sözü bile yol gösterebiliyor insana. Şarkının tek bir satırından ibret alıp kendimi bilmeye karar verdim.

Otuzuma yaklaşıyordum. Benimle bir hayat kurabilecek erkeklerin çoğu evliydi. Hiç evlenmemiş olanlar ise, çocuğu olmayacak bir kadını neden istesinler ki?! Ben olmayacak hayaller kuracağıma, sadece işime odaklanmalıydım. Önüme çıkan her fırsatı değerlendirmeli, çok ama çok çalışmalıydım. Çok çalışmak beni, son merhalede, işyerimde genel müdür koltuğuna oturturdu. Ötesi yoktu. Daha çoğunu istiyorsam, başka hedefler koymalıydım kendime. Mesela, kimse bana bir gün kapıyı göstermesin diye, asla koca veya sevgili parasıyla değil, her bir kuruşunu alın terimle kazanacağım paralarla kurulmuş bir şirketim ve satın alınmış, illa Boğaz manzaralı bir evim olmalıydı. İnsanlar bana saygı ve hayranlık duymalıydı. Yalnız kadın olmanın dezavantajlarının üstesinden ancak öyle gelebilirdim, itibarımla, başarılarımla.

Kazancımı harcamayıp biriktirmeye işte o gün başladım. Çalıştım. Çok çalıştım. Bütün gücümle para kazanmaya, daha çok, daha çok kazanmaya odaklandım. Çalıştığım şirketlerde yükselip dolgun maaşlar almaya başlayınca, bu kez itibar peşine düştüm. Yaptığım işte en iyi ben olmalıydım! Hayatın keyfini de çıkartmayı ihmal etmeyerek elbette. Çoğu iş hayatımda karşılaştığım yaşıtlarımla ya da kendimden genç erkeklerle cinsel yönü ağır basan gelgit, vur-kaç ilişkiler yaşadım. Birkaç haftalık, bir uzun seyahatlik ya da mevsimlik aşklar.

Aşklar?

Belki beni oyalayan aşk oyunları demek daha doğru olur. Yoksa çekilir miydi bu hayat?!

Ya, böyle işte adaşım *Handan Hanım*, senin gençliğin benim büyük büyükannelerimin gençliğine denk gelmiş. Gizli sevdaların, için için yanmaların ve umutsuz aşkların mevsimiymiş senin devrin. Bense bir başka zaman dilimindeydim aşklarımı yaşarken.

Biz yetmişlerin çocukları, ayaklarımızın üstüne basabilmiş, ekonomik özgürlük kazanabilmişsek, mahalle baskılarına kafa tutup sere serpe yaşayabildik aşklarımızı. Çoğu kez cinselliği aşk ile karıştırdık ama ne gam! Her devrin oyunu başka!

Kapattım romanın kapağını, gözlerimi açık tutmakta zorlanıyordum. Kitabı, bulduğum yere, konsolun çekmecesine bıraktım.

Haydi eyvallah *Handan* kardeş!

Başlarda benzeşiyorduk birbirimizle. H harfinin aziz-liğine uğramış, birimiz gerçek hayatta diğeri bir romanın sayfalarında yaşayan Handanlardık ama yollarımız burada ayrılıyor!

Şimdi beni rahat bırak. Ölüp gitmişsin zaten.

Kapanış sahnen; mutsuz son!

Ben daha hayattayım oysa, mücadelem bitmedi. Senin için çok üzgünüm fakat artık uyuyacağım. Uyku unutturur, tedavi eder, yeniler, enerji depolar, yeni sabahlara, yeni gü-neşlere, günlere kavuşturur.

Sen de huzur içinde uyu, yattığın yerde.

Haydi, Allah sana rahmet, bana rahatlık versin!

Uyku sorunumu bildiğim için, her ihtimale karşı, çan-tamı yatağa boşaltıp uyku hapımı aranıp buldum, banyo-ya koşup, musluktan avucuma doldurduğum suyla yuttum, yatağıma döndüm. Çantamın döküntülerini başucumdaki konsolun çekmesine, *Handan*'ın yanına tıkıştırdım.

Uyudum. Uyudum. Uyudum.

BEKLENMEYEN MİSAFİR

Oda karanlık. Demek uyku hapına rağmen, yine gecenin orta yerinde tükendi uykum. Şimdi ne olursa olsun yataktan çıkamamalıyım, kitap filan okumamalıyım, kafamı tamamen boşaltmalı, hiçbir şey düşünmemeliyim. Uyuyamasam dahi, gün ağarana kadar yatakta kalmalıyım ki, gecelerimi gündüz eden bu ters döngüden kurtulabileyim. Sabaha kadar yatakta kalmayı becerebilirsem, otelin terasında güzel bir kahvaltı eder, sonra da kırlarda uzun bir yürüyüşe çıkarım. Denize mi giderim, arabayla mı turlarım, nasıl yaparım, bilmiyorum ama akşam olana kadar uyanık kalırsam, gecelerle gündüzler yerlerine oturur ve hayatım normale döner. Dönmek zorunda, çünkü sorumlu olduğum bir başka can var.

İyi mi, kötü mü henüz bilmiyorum, bunu zaman gösterecek. Bildiğim, hayatımda ilk kez kendimden başka birini daha düşünmek zorunda olduğum. O yüzden uykulara bırakamam kendimi. Çünkü sürekli uyku, depresyon belirtisi değil midir? Eğer öyleyse, benim bugünlerde depresyona girme lüksüm yok! Bu kasabaya da dinlenmek, kafamı ve akıl sağlığımı toplamak için gelmedim mi zaten? Haftaya İstanbul'a döndüğümde güçlü kuvvetli ve moralli olmak için.

Haydi Handan, dışarısı aydınlanana kadar uyu kızım, sabah olmadan çıkma bu yataktan.

Yumdum gözlerimi. Gevşemeye çalıştım.

Ah! O da nesi?

Bir ses mi duydum? Bana mı öyle geldi yoksa?

Dikildim yatakta, kulak kesildim. Tanrım, odada biri vardı! Kapım kilitliydi oysa. Panjurlar da kapalı.

Kesin bana öyle geldi... Ama hayır, duyuyorum, konuşuyor, "Benden bu kadar kolay kurtulacağını mı sandın?" diye fısıldıyor, yumuşak bir kadın sesi. Rüya görmediğime eminim, çünkü karanlığın içinde beyaz giysisini seçiyor gözlerim. Ses o yönden geldiğine göre, yatağın karşı köşesinde duran hasır koltuğa ilişmiş olmalı.

"Kim var orada?" diyorum titrek bir sesle.

"Tanımadın mı?"

"Tanımadım."

"Oysa benimle yatıp benimle kalkıyorsun iki gündür," gibi bir şeyler söyledi ya da en öyle duydum, çok yavaş konuşuyordu çünkü.

"Ne zamandır odamdasınız?"

"Ben hep buradaydım. İki gündür beraberiz seninle."

"Ben kimseyi çağırmadım. Her kimseniz, gider misiniz lütfen? Yalnız kalmak istiyorum."

"Uydurma! Yalnız kalmak istemiyorsun. Bu yüzden buradayım."

Gözlerim hasır koltuktaki loş beyazlıkta, elimle lambanın düğmesini arıyor, bulamıyorum. Bu arada sanki içinden parlayan bir ışıkla daha da belirginleşiyor yüzü, elleri, kıyafeti...

Allahım, kitabın sayfalarından çıkıp gelmiş, karşımda oturuyor *Handan!* Üstelik, sevgili Nerimanına gönderdiği fotoğraftaki kıyafetiyle. Tüller içinde. Bana doğru uzattığı elinde, parmağındaki yüzüğü bile seçiliyor...

"Bu ince, pek ince kadının, üzerindeki tüller pek acayip ve cazip surette kıvrılarak, düşerek ayaklarının etrafında toplanıyordu. Boynu, kolları açıktı. Çehresi kulaklarından inen, alnından ayrılmış saç dalgaları ile çerçevelenmiş, büyük gözlü bir kadındı. Güzel olup olmadığına hükmedemedim. Fakat nazarları ve simasının ince çizgileriyle nefis bir tabloya benziyordu ve elindeki izdivaç yüzüğünü, nispet verircesine uzatıyordu bana doğru."

Bir rüya mı görüyordum, yoksa kitap beni içine mi çekmişti?

"Ne istiyorsunuz benden?" dedim.

"Gerçeklerinle yüzleşecek kadar güçlü olmanı."

"Benden hangi hakla talepte bulunuyorsunuz?"

"Senin bana vermiş olduğun hakla."

"Ben size öyle bir hak vermedim."

"Beni yaşamına ortak ettiğin an verdin o hakkı."

"Benim yaşamıma kimse ortak olamaz."

"Adımın sana verildiği andan beri ortağız biz. Bunu sen de itiraf ettin zaten."

"Kimseye böyle bir şey söylemedim ben!"

"Düşündün ama. Düşünce sessiz sözdür."

"Siz düşüncemi mi duydunuz?"

"İyi bir kulak düşünceleri de duyar."

"Bakın *Handan Hanım*, bir an için öyle düşünmüş bile olsam, siz bir roman kahramanısınız. Üstelik ölüsünüz. Hiçbir ortak noktamız yok bizim. Çıkar gider misiniz odamdan, lütfen? Uyumak istiyorum."

"O kadar kolay kurtulamazsın benden."

"Işığı yakınca gideceksiniz. Bir hayalsiniz çünkü."

"Bana niye siz diye hitap ediyorsun, Handan? Bak ben sana sen diyorum."

"Ben tanımadığım kişilere siz derim."

"Biz kardeşten de yakın değil miyiz?"

"Değiliz. Siz kendinizi düştüğünüz aşk kuyularında mutsuzluğa mahkum etmişsiniz. Hep bir kurtarıcı beklemişsiniz. Hep birileri taşımız sizi. Bense tek başıma mücadele ettim hayatla. Kimsenin kulu kölesi de olmadım. Bırakın kul köle olmayı, âşık dahi olmadım diyebilirim."

"Hepsi tamam da, bak işte bunu diyemezsin, Handan! Bu yüzden geldim zaten. Seni kendi gerçeklerinle yüzleştirmek için. Sen de âşık oldun, itiraf et."

"On beş-on altı yaşındaki duygularıma aşk mı diyeyim?"

"Sen gerçekten âşık olduğunda, otuzlarındaydın."

"Nerden biliyorsunuz?"

"Bak hâlâ siz diyorsun bana! Önce burada anlaşalım."

"Tamam, sen diyeceğim. Kaç yaşında âşık olduğumu sen nereden biliyorsun?"

"Sen benim her şeyimi biliyorsun da ben niye bilmeyeyim?

"Ben biliyorum çünkü sizin, ay pardon, senin hayatını nerdeyse iki gündür satır satır okumaktayım."

"Ben de senin ruhunu okumaktayım."

"Ne zamandan beri?"

"Şu koltuğa oturduğumdan beri."

"Oraya sen az önce oturdun, *Handan Hanım.* Üstelik benim hayatım seninki gibi kâğıda dökülmüş roman değil ki okuyasın. Nasıl bildin ruhumu?"

"Benim bulunduğum yerde, hem zaman akışının hızı başkadır, hem de ruhlara vâkıf olmak için kitap gibi vasıtalara ihtiyaç olmaz. Şimdi bana söyler misin, neden kaçınıyorsun aşkını itiraf etmekten?.. Yoksa bu aşk bünyesinde bir ihanet mi barındırıyor?"

"Konuşmayacağım!"

"Vicdan azabı çektiğin için mi?"

"Seni alakadar etmediği için."

"Sen bana dair tüm zaafları, tüm duyguları bilirken, kendini benden saklaman haksızlık olur. Madem adlarımız bağlamış bizi, ruh ikizi olmuşuz, yaptığım hataları, çektiğim acıları okuyup öğrenmişsin, sen de bana dök içini. Anlattıkça rahatlayacaksın. Yükünden kurtulacaksın, inan bana."

"Yeter ama!" dedim.

Bu kadın hayalinin beni çözüp konuşturmasından korkuyordum. Kendime dahi itiraf edemediklerimi öğrenmesini istemiyordum. Tek sırdaşım kuzinime dahi söylemediklerimi, ona neden söyleyecektim ki?! Ama bu hayal kadın öylesine etkiliyordu ki beni, öylesine tatlı bir sesle, ikna edici bir üslupla konuşuyordu ki, sırlarımın havuzunda çırılçıplak yüzmekten korkuyordum.

Olmaz! Kendimi böylesine açarsam, ben olmaktan çıkardım, tüm gücümü yitirir, saçları kesilmiş Samson gibi aciz kalırdım.

Başucu lambamın düğmesi uzun süredir avucumdaydı. Telaşla basıp yaktım ışığı. *Handan*'ın bembeyaz elbisesi soldu, silikleşti, kızıl kahve saçlarının rengi giderek açıldı, bulut rengine dönüştü, kocaman gözlerinin ışığı sönerken yüz hatları da silindi, silindi... ve yok oldu.

Işığı kapattım. Kapkaranlıkta yapayalnız kalınca ürküp gözlerimi sımsıkı yumdum. Farkında olmadan bağırmışım, "*Handan*, gitme!" diye.

Belki de gitmemiştir.

Açtım gözlerimi, gözlerim karanlığa alışınca, orada olması ümidiyle karşımdaki hasır koltuğa baktım. Boştu. Gitmiş!

Yaktım yine başucu lambamı. İçim karanlıktı zaten, bari odam aydınlık olsun...

İLHAMİ

Ne demek istedi acaba *Handan*, bana sen de âşık oldun ve aşkın ihanet içeriyordu derken? Biliyor olabilir mi? Hangi birini bilecek?.. Kaya'yı mı? Necmi'yi mi? Oktay'ı mı yoksa?

Herhalde Oktay'ı. En uzun süren ilişkim oydu, çünkü Oktay doğru erkekti. Çalıştığım ajansın sahibiydi, boşanmıştı ve iki çocukluydu. Birkaç yıl boyunca aramızda her şey yolunda gitmişti. Sonra bana evlenme teklif edeceği tuttu ve büyü bozuldu. Teklifine evet dediğim takdirde, benim olmayan çocuklara annelik etmeyi göze almalıydım. Oysa biliyordum ki, çocuklar en cadı, en berbat annelerini dahi her zaman üvey annelerine tercih ederler. Ben, ya üvey çocuklarım beni sevsin, benimsesin diye yırtınıp duracaktım ya da annelik taslamaktan vazgeçip üvey anneliğe razı olacaktım.

Kendi yuvamda hep birkaç adım gerideki yerimi bilerek, şansımı zorlamayarak yaşayıp gitmek! Neden? Evimin, kocamın huzuru bozulmasın diye! Ya benim huzurum? Benim mutluluğum?

Ben hep ikinci planda kalacaktım.

Şart mıydı evlenmek? Ben çoktan çıkarmamış mıydım evlilik fikrini kafamdan? Annemle babamı memnun etmenin ve konu komşuya evde kalmadığımı ispat etmenin dışında, neyime yarardı bir koca?

Anneme göre, eve para getirirdi; babama göre güvence verirdi; Oya' ya göre, seks ihtiyacını giderirdi, yalnızlığımı paylaşırdı. İyi de, yıllardır paramı kendin kazanmıyor muydum? Kendime güvenmiyor muydum?

Para ve güvence şıklarının üzerini çizdim, annemle babamın savları düştü böylece. Geriye kalan sevgi, seks ve yalnızlık paylaşımı için nikâh şart değildi ki! Evlenmediğim sürece gönlüm kimi çektiyse, onunla birlikte oluyordum zaten. Kimiyle çok eğlendiğim için, kimi beni çok iyi gezdirdiğinden, kimi beni el üstünde tuttuğundan; bazen romantik nedenlerle, bazen de sırf iyi seviştikleri için. Bekârlık, sadece erkekler için değil, ayaklarının üstünde durabilen kadınlar için de sultanlıktı. Demek ki bundan böyle, bazı kurallar koymalı, sevgililerimi, başıma dert olmayacak, evli, hatta evli ve çocuklu adamlardan seçmeliydim. Evli erkeklerden kötülük gelmezdi. Evlilerle mesai bittikten sonra buluşup sevişirsin, sonra evli evine, köylü köyüne giderdi. Bekârlar gibi musallat olmazlardı insana. Evime yerleşmeye kalkışmaları, kahvaltılarını, çamaşır ve ütülerini talep etmeleri, özellikle de sabahları banyomu saatlerce işgal edip kokular, buharlar içinde bırakmaları bir tarafa, kıskançlıkları da çekilmezdi bekârların. Gençleri ayrı dertti üstelik, yaşlıları ayrı dert! Gençlerin libidosuna yetişilecek, diğerinin şişirilmeye ihtiyaç duyan egosu beslenecek. Değmezdi bunlara... Hiç evlenmemiş, dul veya boşanmış, tüm bekârlardan uzak durmak kararını, işte o an aldım! Bu kararı aldıktan sonra da işimden istifa ettim. Yerime başka birinin bulunması için bir aylık sürecin dolmasını beklerken bir yandan da kendime iş arıyordum.

Çok sevdiğim bir arkadaşım, "Tanıdığım bir matbaacı var, iyi bir tasarımcı bulursa, bazı açılımlar, yenilikler yapmak istiyordu. Ona senden bahsettim, git bir görüş istersen," demişti. Bir reklam ajansında çalışmayı tercih ederdim ama bana yardımcı olmaya çalışan, iyi niyetli arkadaşıma ayıp olmasın diye teklifini kulak arkası etmedim. Telefonla randevu alıp kalktım gittim verilen adrese. Alt katı matbaa olan iş hanının, üst katındaki patron odasına girerken görüşmeyi mümkün olduğu kadar kısa tutmaya kararlıydım.

Masasından kalkıp bana oturacağım koltuğu işaret eden adama, "Ben Handan," diyerek kendimi tanıttım, "Suzan Hanım'ın size sözünü ettiği kişiyim, telefonda konuşmuştuk..."

Ama sesimin kendinden emin tonlaması çabucak düştü, tepeden tırnağa süzdüm karşımdakini ve nefesim kesildi. Karşımda hayatımda gördüğüm en yakışıklı erkek duruyordu. Gözlerinde ilk aşkım Nedim'in gözlerindeki maviden bir tutam, biraz yeşil, bir tık da sarı vardı sanki. Öylesine cıvıltılıydı ki gözleri, rengini tam seçememiştim.

Elimi sıktı, "Ben de İlhami," dedi, "Şöyle buyurun Handan Hanım."

Ses meraklısıyımdır ben. Çok güzel, tok bir sesle düzgün konuşuyordu. Elleri etli değil kemikli, parmakları uzundu. Üzerindeki gömleğin kollarını kıvırmış, altına blucin giymişti. Rahat kıyafetini beğenmiştim. Konuşma sırasında evli olup olmadığımı sormuştu. Boşandığımı ima eden bir cümleyle yanıtlamış ve hemen ben sormuştum, o evli miydi? Evli ve iki çocukluydu. Buyurun işte! Tam benlik! Evet, içten pazarlıklıydım. Evet, kötü niyetliydim, çünkü adam çok yakışıklıydı. Çalışacağım patronun bu kadar hoş olması elbette benim şansımdı. Ama benim asla yuva yıkmaya niyetli bir kadın olmamam da onun şansıydı!

Haydi rastgele!

Böyle başlamıştı birlikte çalışma hayatımız.

Uzun yıllar sevgilisi olamadım. Oysa, neler yapmamıştım onu kazanabilmek için! Babamın vefatından beri, İstanbul'da annemle birlikte yaşadığımız evden çıkmış, sırf iş sonralarında onu evimde rahatça ağırlayabileyim diye, tüm birikimimi gözden çıkarıp Arnavutköy sırtlarında bir sitede, manzaralı bir kat satın almıştım. İşe her zaman bakımlı ve itinayla giyinerek gitmiştim. Ona her zaman sıcak davranmıştım. Sabahları ilk kahvemizi ve çoğu gün iş bitimlerinde bir kadeh viskimizi birlikte içmeyi rutin hale getirmiştim.

İlhami, attığım pasları ya görmezden geldi ya da gerçekten anlamadı. Evine, karısına bağlıydı. Çocuklarına düşkündü. Dışarıda gözü yoktu. Dikkatini çekemeyince üstüne fazla gitmedim. Pusuya yatmış bir avcı gibi sessizce doğru zamanı beklemeye geçtim.

Sevgili olamadık ama yakın arkadaş olmayı başardık. Annem hastalandığında ona bakmak için ofis saatlerinden çaldığım zamanlarda bana çok anlayış gösterdi. Ben de ona minnet borcumu misliyle ödedim. İşi birlikte büyüttük. Babasını kaybettikten sonra da matbaayı yayınevine çevirmeye karar verdik. Kapakları benim hazırlayacağım, özenle tasarlanmış, iyi kalite kâğıtlara basılmış, ilginç kitaplarıyla öne çıkan bir butik yayınevi kurmayı ne zamandır düşünüp duruyorduk. Türkiye'de sinekli bakkalları andırmayan kitabevleri açılmaya, kitaplar daha iyi basılmaya, okur sayısı artmaya başlamıştı. Kitap sektörü bir atılım içindeydi. Biz de yayınevimizi, Sirkeci'den zamanın moda ve mutena semti Etiler'e taşıyacaktık. Günlerce hayal kurduk İlhami'yle. Onu yüreklendirdim. Hatta ortak olmayı teklif ettim. Annemin vefatından sonra, Beşiktaş'taki evi satıp bana düşen payla ortak oldum yayınevine.

Patronumun çalışanı değil ortağıydım nihayet! İtibarlı bir yayınevinin de yarı sahibi! İşimiz giderek büyüyordu, o kadar ki, ben kitap kapağı tasarlamayı bırakmak zorunda kaldım. Çünkü yayınevimize ödüller, yeni yazarlar kazandırmak, tüm yurtiçi ve dışı kitap fuarlarına katılmak, diğer yayınevleri arasında öne çıkmak gibi çok mühim ve idari işlerim vardı artık.

Kendime koyduğum hedeflere teker teker ulaşıyordum. Fırsatları değerlendirmede, *Becerikli Bay Rippley*'in dişisiydim âdeta.

İlhami'yle kafa dengi iki ortak olmuştuk. İyi geçiniyorduk. İşimiz her geçen gün gelişiyordu. Matbaamızı son teknolojiyle yenilemiştik, bastığımız davetiye, kartvizit, broşür, afiş ve kitaplarımızın yanı sıra, makinelerimiz boş kalmasın diye icabında başka yayınevlerinin kitaplarını da basıyorduk. Her şey tıkırındaydı ki, birdenbire hayatımız altüst oldu. İlhami bir trafik kazasında oğlunu kaybetti. Çocuk daha on yaşındaydı...

❖❖❖

Matemini kendini dağıtarak yaşayan ortağıma destek olabilmek için elimden geleni yaptım. Onun karısıyla evine kapanıp kendini içkiye verdiği dönemde, tüm açığını kapattım. Aylarca işe gelmedi. Hiç şikâyet etmedim. Böyle davranmamda ona olan zaafımın rolünü inkâr edemem. Yılların içinde umut ettiğim gibi sevgili olamamış, ama iki ortaktan çok bir abi-kardeş yakınlığı tesis etmiştik. Ve ben, o sancılı süreçte bir kardeşin yapabileceğinden de fazlasını üstlenmiştim.

Bir yılın sonunda ortağım yavaş yavaş normale döndü. Karısı ise, kazadan kendini sorumlu tuttuğu için olmalı, bir türlü toparlanamadı. Çocuğuna ulaşmak için öte dünyayla kurduğunu sandığı iletişim kadar, acısını hafifletmek üzere tükettiği içkinin de, aldığı ilaçların da giderek esiri oluyordu.

Her şerde bir iyilik arayacaksak, İlhami, ocağıma (belki kucağıma demeliyim) karısının bitmeyen mateminin yüzünden düştü.

Evlerinde sık patlak veren tartışmaların sonucu, bir akşam vakti yine kapımda biten çok sarhoş ve çok kederli İlhami'yi kollarımda bir anne gibi teselli edip pışpışlarken kendimi onunla sevişirken buldum.

O gecenin sabahında ortağımı kendi evine yolcu ederken bir şeyden çok emindim; bundan böyle hayatımızda hiçbir şey aynı olmayacaktı. Çünkü artık ben, onsuz olamayacaktım!

✦✦✦

Kartlar el değiştirmişi. Kartların el değiştirmesinde benim hemen hemen hiçbir katkım olmamıştı. Ama şimdi oyun kurucu bendim. Bundan böyle benim kurallarıma göre oynanacaktı oyun.

Yılların bastırılmış duyguları, arzuları ve ayrıca hayallerim, heveslerim, beklentilerim bir ırmak gibi çağıl çağıl akıyordu içimde. Ben bu adamla yaşadığım o geceyi yıllarca beklemiştim. Bana kendi ayaklarıyla gelmişti. Benim olmuştu. Hep benim kalması için tüm bedelleri öderdim. Ben bu adam için acı çekerdim. Ben bu adam için ölürdüm. Ben bu adam için dünyayı karşıma alırdım. Çünkü onu seviyordum. Ölesiye!

Sevgime karşılık alabildim mi?

Ne gezer! Senin Hüsnü Paşa'ndan da beter çıktı benim ki, *Handan Hanım*. Benimle defalarca yattı. Bazen bir görev yaparcasına, bazen beni parçalarcasına tutkuyla, ihtirasla. Bazen sırf canı sevişmek istediği için. Çoğu zaman da ben zorladığımdan. Ama hiçbir vakit aşkla değil. Asla sevgiyle değil. Bir kez olsun şefkatle dokunmadı bana.

Olsun varsın! Çok şey öğrendim ondan.

Nedim'e olan duygularımın çocukça bir heves, Haşim'e tutkumun ise intikam duygusuyla karışmış ham inat olduğunu anlamama sebep olan da oydu, içimdeki tüm iyilikleri su yüzüne çıkartıp bana şefkatle, merhametle sabırla sevmeyi öğreten de, hatta bir erkekten diğerine koşmanın saçmalığını gösteren de. Yüreğimi olduğu kadar, bulunduğum mekânları da aydınlatan güneşimdi. O hayatıma girene kadar, tutkular, hevesler, heyecanlar... aşka dair ne yaşamışsam hepsi, her şey silinip gitmişti belleğimden. Günün birinde böyle bir adamın hayatıma kesinlikle gireceğini sezerek, yıllarca sadece onu beklemiştim sanki.

O yüzden miydi bendeki derviş sabrı?

Benden kurtulmaya çalıştığını sezdiğim ana kadar, adı müzikti kulağımda. İlhami!

İşte yüzleştim kendimle!

İşte itiraf ettim!

"Heyy, *Handan Hanım*, Hayal Kadın, illa konuşmamı istiyordun. Konuştum, döktüm ortaya içimde ne varsa, hem de yüksek sesle, bağıra çağıra! Duydun mu? Duydunsa bana acıdın mı? Yoksa yine kendi dertlerine mi döndün, ölüme yolladığın Nâzımına, evdeki hizmetçilere kaptırdığın Hüsnü Paşa'na ve gizli aşkın Refik Cemal'e...

Sen git onlarla kal, sonsuza kadar! Ben en azından İlhami'yi, kalbimden değilse bile, hayatımdan çıkartmayı başardım."

Kapattım başucumdaki ışığı, karşımdaki koltuğa baktım, yaş içindeki gözlerimle.

Gelmemiş.

Niye gelsin ki! Kimse hoşuna gitmeyecek şeyleri duymak istemez, ne hayatta ne de bir kitapta! Zaten kocası tarafından defalarca aldatılan, aşağılanan acılı bir kadın, bir de gelip benim acıma mı ortak olacaktı?

Gelmez!

Güle güle *Handan*! Her şeye rağmen iyiydi seni tanımak.

HANDAN

Karanlıkta öylece yatıyordum, bir el usulca saçlarıma dokunduğunda. Sol yanıma döndüm, araladım gözlerimi. Aaa! *Handan*! Geri gelmiş, yatağımın yanına oturmuş, yumuşacık hareketlerle saçlarımı okşuyor.

"Bak, ne iyi oldu anlatman. Kalanları da anlat. Çıkart at içinden yüreğine ağır gelenleri."

"Her şeyi söyledim işte. Başka bir şey yok"

"Var Handan! Cerahati boşaltmak lazım."

"Valla yok... Anlatmaya değmez yani... Çok klasik bir hikâye benimki. Evli bir adamı sevdim. O beni sevmedi."

"Madem seni sevmedi, onu neden hemen bırakmadın?"

Bu soruyu bana sorana bakın hele... Kendi o ahlaksız kocasını bırakabilmiş gibi. O kadar kırılgan görünüyordu ki, göğsüne iliştirdiği sarı gül gibi solgundu yüzü. Kıyamadım terslemeye. Verdim benden beklediği yanıtı.

"Birlikte çalışıyorduk, kolay değildi bu. Kaldı ki, ona çok âşıktım, hep çevresinde kalmak, onu görmek, onun sesini duymak, hayatının bir parçası olmaya devam etmek istedim. Umudum hiç tükenmiyordu. Bir gün beni sevecek, diyordum."

"Kadınlar böyledir işte. Kendilerini aldatıp dururlar. Azıcık alakayla avunurlar," dedi gözlerinde anlayışlı bir ifadeyle.

"Önceleri, ben her şeye razıydım. Herkes ofisten çıkıp gittikten sonra biz içerde kalıp sevişirdik. Kimi akşamlar da evine gitmeden bana uğrardı. Ama ne zaman buluşacağımızı hep o tayin ederdi. Bazen en olmadık saatte kapımda biterdi. Bazen günlerce uğramadığı olurdu. Sonra bakarsın bir gün bir mesaj atar veya mail yollar..."

Sözümü kesti, "Mektup yollar demek istedin herhalde."

"Yo, mesaj dedim, telefonla ya da mail'le."

"Nedir o mail'le?"

"E-posta."

"Mektup, işte! Elden yollanmış mektuba siz mail'le mi diyorsunuz?"

Ah *Handan*, ah! Pullu zarfla yollanan ya da elden verilen mektuptan başkasını bilmeyen birine ben nasıl anlatacağım şimdi mail'i, mesajı? "Bak, teknoloji o kadar ilerledi ki anında haberleşmek mümkün artık. Telefon nedir, biliyor musun?"

"Elbette. İstanbul'da vardı, bazı evlerde."

"İşte o telefon küçüldükçe küçüldü, ceplerimize sığar hale getirildi. Ayrıca tuşlarına basarak yazı da yollayabiliyoruz karşı tarafa. Anında ulaşıyor. Sen hayal bile edemezsin bugünün iletişim hızını."

"İletişim?"

"Haberleşme."

"Muhaberat demek istiyorsun."

"Dilimizin zor döndüğü o eski kelimeleri kullanmıyoruz artık."

"Sevsinler sizin o uyduruk yeni kelimelerinizi. O pek küçümsediğin mazide, beni yaratan Halide Edib olmasaydı, kendisi gibi kahraman arkadaşlarıyla önce vatanı kurtarmaya koşup sonra da kadın haklarını müdafaa etmeseydi, teknoloji istediğin kadar hızlansın, neye yarardı ki?! Sen, şimdi ayıp olacak ama, kusura bakma, zor yaşardın fikri hür, irfanı hür hayatını."

"Seni incitmek istemedim. Yanlış anladın... Yani pardon, ben anlatamadım."

"Muhaberat hızlanmış ama bakıyorum sen kendini ifadede zorlanıyorsun, heyhat! Kelimeleri çeşitli bahanelerle ayıklarsanız, böyle olur işte, lisanınız kurur, ifadeniz zayıflar. Bilmiyorum zannetme, sen pek küçümsedin benim neslimin lisanını ama senin kullandığın kelimeler de pek kifayetsiz. Neyse, mevzudan ayrılmayalım, ne diyordun?"

Beni yanlış anlamasının üstünde durmadım, dil üzerine tartışma başlatmanın zamanı değildi. Üstelik ukalaydı biraz, başladı mı susmayabilirdi, oysa ben ona içimi dökmek istiyordum.

"Diyordum ki, ben bu ilişkide oyun kurucu olacağımı zannederken dizginleri hepten kaçırmıştım elden. Sevgimin kölesi olmuştum. Yıllar böyle geçti. Ben hep boyun eğdim," dedim.

"Benim Hüsnü Paşa'ya boyun eğdiğim gibi... O da hep kendi tayin etmiştir ne zaman gelip gideceğini. Kadınları harap eden, pek yıpratan bir durumdur bu; gelmedi miydi bilirdim ki, metreslerinden birinin yanındadır."

"Benim öyle bir endişem olmadı. İlhami'nin karısıyla aralarında karıkoca ilişkisi olmadığına emindim. Karısına aşırı düşkünlüğü, çocuğunu kaybettiği içindi, acırdı ona. Bu yüzden gocunmazdım keyfi gelip gitmelerine. 'Karısını üzmek istemiyor, uygun zamanları kolluyor, gelsin de, haberli habersiz, ne zaman isterse gelsin,' diye düşünürdüm. Zaten günün büyük kısmını aynı ofisin içinde burun buruna geçiriyorduk. O kadar âşıktım ki, o kadarı bile yetiyordu bana."

"Madem bu kadar fedakârane davranabiliyordun, neden bitti bu münasebet?"

"Zamanla bana karşı davranışları değişmeye başladı. Hayatına başka birinin girdiğinden şüpheye düştüm. Başka bir kadınla mücadeleye hazırdım. Sevgilimin tercihlerini, tutkularını, zaaflarını öğrenmiştim. Benim elim, aşk konusunda herhangi bir kadınınkinden daha kuvvetliydi. Ama ne zaman ki hayatında bir başka kadından çok daha tehlikeli bir şey olduğunu gördüm, hırçınlaştım, çekilmez oldum."

"Eh, âşık bir kadın için diğer kadından daha tehlikeli ne olabilir ki?"

"Bir erkek!"

"Ne!"

"Geleceğe dair hayallerini, projelerini paylaşacağı, iş konusunda belki bir kadından daha iyi anlaşacağı, hatta akrabalık bağları ile de bağlanacağı bir erkek. Bir iş ortağı, hatta ondan da öte, bir damat adayı."

"Görüyorum ki, benim roman ömrümü yaşadığım devirden bugüne, fazla bir şey değişmemiş. Erkeklerin hâkimiyeti ve birbirlerine arka çıkmaları aynen devam ediyor. Kadınlar hâlâ küçümseniyor cemiyetimizde.

"Bak yine yanlış anladın. Benim söylemeye çalıştığımın kadın-erkek eşitliği ile ilgisi yok."

"Ne ile ilgisi var?"

"Anlatayım. Yayınevimize bir yeni eleman gelmişti. Üstelik ben işe almıştım o yılanı, kendi ellerimle sokmuştum aramıza. Güzel sanatlardan yeni mezun olmuştu, tecrübesizdi ama yetenekliydi. Benim yapmam gereken kapakları o tasarlıyordu. Efendi, sessiz sedasız, kendini dar olanaklarla yetiştirmiş bir Anadolu çocuğu... Dolayısıyla biraz mahcuptu, oldukça görgüsüzdü ama çabuk öğreniyordu, çok işgüzar, çalışkan bir delikanlıydı. İşinde çabuk ilerledi. Hepimize sevdirdi kendini. İlhami'nin kızı da tuttu, vuruldu bu oğlana"

"İlhami itiraz mı etti?"

"Yoo! Tek itiraz eden karısı oldu ama kimse kulak asmadı ona. Hepimiz, kızın ilkgençlik aşkıdır, nasılsa geçer diye baktık. Oğlan akıllı çıktı. Patronunun gözüne girdi. Sonra ne göreyim, oğlanla İlhami'nin arasından su sızmaz olmuş. Ne zaman odasına gidecek olsam, bu çocuk orada. Gizli kapaklı fısır fısır konuşmalar, dışarıda baş başa yemek yemeler... İlhami bu oğlanı damat olarak benimseyince benim hisselerimi benden alıp ona satmaya kalkıştı."

"Yok artık!"

"Vallahi. Bana ortaklık hisselerim için yüklüce bir miktar teklif edince uyandım. Önce kabul etmedim. Birkaç gereksiz maraza çıkardı. Sonra bu dalaşmaları bahane etti, geçinemiyoruz, ortaklığı bitirelim diye tutturdu. Gizlice bir araştırma yaptım, baktım ki benim hisseleri damat adayı için satın almaya hazırlanıyor. Atacak benim popoma bir tekme, ben dışarı, Bora içeri!"

"Bora kim?"

"O çocuk işte, damat adayı. Koynumda besleyip büyüttüğüm yılan! Kızgınlıktan deliye döndüm. Resmen atılıyordum kendi şirketimden. Olacak iş miydi bu? Ben, aşkımdan vazgeçsem de, onca yılımı akıttığım, emek verdiğim işimden vazgeçemezdim."

"Ne yaptın?"

"Arkamdan iş çevirdiklerini yakaladığım gün, kendimi kaybedip kıyameti kopardım. İlhami'ye ağzıma geleni söyledim, rahatladım. Fakat o gün Bora işte değildi, ona haddini bildiremedim. Söyleyeceklerim içimde kaldı. Akşam evine gidip kapısına dayandım. Aklım sıra hesap soracaktım, sabah İlhami'yi konuşturamamıştım çünkü; bana, sen delisin deyip durmuştu. Ben de neden bana bu alçaklığı reva gördüler, Bora'dan öğrenmeye karar verdim. Neyse ki gittiğimde evindeydi. Beni görünce şaşırdı ama renk vermedi, içeri buyur etti. Biz tam Bora'yla konuşurken, İlhami'nin karısı gelmez mi! Ben onun bu işlerle hiç ilgisi yok sanıyordum.

Meğer o da masum değilmiş. Oysa ben bu Eda yüzünden vicdan azabı bile çekmiştim. Gözlerine bakarken rahatsız olurdum. Ne kadar safmışım! O akşam, o evde anladım ki, hepsi birleşmiş, bana karşı aile boyu kumpas kurmuşlar. Avukatım dahil kimseleri inandıramamıştım arkamdan iş çevirdiklerine, oysa adım gibi emindim, o gece, orada hep birlikte benden bir şey saklamaya çalışıyorlardı. Sakladıkları şey, bana attıkları kazığın belgeleriydi herhalde. Belgeler bilgisayarda olmalıydı ki, benim bilgisayara ulaşmama mani olmaya çalışıyorlardı. Hainler, tek başına bir kadına karşı çete oluşturmuşlardı."

Lafımı kesip, "Bilgisayar nedir?" diye sordu *Handan*.

Haydaa!

"Bilgisayar şeydir... bir nevi yazı makinesi... elektrikli daktilo gibi düşün ve... ve... ilaveten tüm yazılanlar ve bilgiler içinde saklı."

"Ansiklopedi gibi mi?"

"Ansiklopedinin sayfaları vardır. Bu ise tüm bilgileri içeren bir bilgi kutusu gibi..."

Sustum. Yorulmuştum, uzun zamandır unuttuğum duyguları, o zaptedilmez kızgınlığı yeniden hissetmek, o korkunç gecenin kâbusunu sil baştan yaşamak iyi gelmemişti bana. Başka bir dünyada kalmış *Handan*'a, onu bunu açıklamak zorunda kalmak da ayrı bir dertti.

"Sonra ne oldu?" diye sordu *Handan*, sesinde ince bir alayla, "bilgi kutusunu ele geçirebildin mi? Kutular tehlikeli olabilir hemşire, malum, Pandora'nın da bir kutusu vardı, hiç açılmaması gereken."

"Benim sana anlattıklarımın şakaya gelir tarafı yok, *Handan*! Dinle bak, neler oldu. O gece işte, benden kaçırdıkları bilgisayar İlhami'nin karısının elindeydi, üzerine gittiğimde birlik olup almama mani oldular. Biz itişip kakışırken, kapısı açık duran balkona çıkmışız. Bir ara bilgisayarı ben kaptım ama üçü birden hep birlikte üstüme geldiler ve içlerinden biri, çekti aldı elimden aleti.

"Üçü mü? Üçüncü kimdi?"

"Balkonda serseri kılıklı biri daha vardı, Bora'nın arkadaşıydı herhalde. Sonra korkunç bir şey oldu, bilgisayarı o kargaşada benden kim kaptıysa, aniden aşağı uçtu. Balkondan düşerken, elinde tuttuğu bilgisayarı gördüm, Bora mıydı, öteki genç miydi, bilemedim, aynı anda korkunç bir çığlık duydum. Hemen sonra İlhami'nin karısı, kızını kolundan tutmuş, sürükleyerek çıktı gitti evden. Yani Derya da oradaymış, demek ki, ben görmemişim. Ben de fırladım peşlerinden, merdivenlerden deli gibi indim, apartmandan dışarı attım kendimi, arabama atlayıp evime gittim."

Sustum yine. Nefes nefeseydim. O gecenin hatırasıyla ter içinde kalmıştım. Başımı yastığıma dayadım, gözlerimi yumdum. *Handan*'ın bembeyaz küçük eli, bir tüy hafifliğiyle geziniyordu yüzümde, yanağıma düşen gözyaşımı siliyordu.

"O gecenin tesiri altındasın hâlâ. Ama tekmil yaşadıkların yılların gerisinde kaldı. Unut gitsin," dedi.

"Unutamıyorum. Düşüncelerimden atsam, gece rüyalarıma giriyor. Biliyor musun, düşenin Bora olduğunu ancak ertesi sabah gazetelerden öğrendim. İtişip kakışırken onu ben mi ittim, yoksa başka biri mi, hiçbir zaman bileme-yeceğim. Acaba ben bir katil miyim, *Handan?* Bir yumak gibi birbirimize geçmiştik, benim yüzümden düştüyse, inan ki bilmeden yaptım. Ben kimseyi itmedim. Bir bedel daha ödeyemem, yetti atık!"

Hıçkırmaya başladım.

"Ağlama," dedi *Handan.* "Senin yüzünden de olsa, bir kazaymış bu. Polis kapına dayanmadı mı ertesi gün?"

"Hayır."

"İyi işte! Demek ki iten sen değilmişsin. Hem bir kaza-ya herkes sebebiyet verebilir. Adı üstünde: kaza! Bu yüzden boşuna vicdan azabı çekme. Çünkü vicdan azabı, acıların en korkuncudur. O geceyi unut gitsin."

"Nasıl unutayım? Oradakilerin arasında benden baş-ka Bora'ya kızgın olabilecek kimse yoktu ki! Üstelik sövüp saymıştım, aynı gün, öldüreceğim bu piçi diye bağırmıştım ofiste. Herkes duymuştu. Bu kadarla kalsa, iyi. Dahası da var, *Handan.* Ertesi sabah kapıcının kapıma bıraktığı gazetede ne göreyim, baş sayfada İlhami'nin polislerin arasında elleri kelepçeli resmi! Bora'nın ölümünden sorumlu kişi olarak tu-tuklanmış. Şaşırdım kaldım, çünkü İlhami o gece yoktu ki, o evde. İlk tepkim, 'Oh olsun!' diye bağırmaktı." Bana attığınız kazık için, Allah Bora'nın da, senin de cezanızı verdi! Beter olun!"

Ama gazeteyi okudukça kafam büsbütün karıştı. Bora'nın evindeki insanlardan, yani benden, o genç çocuktan, Eda'yla kızından bahsedilmiyordu haberde. Kapıcıyı gönderip tüm gazeteleri aldırdım, hepsini okudum. Hepsinde haberler aynıydı, olay sırasında bizlerin o evde olduğumuza dair hiçbir beyan yoktu. Orada olmadığı halde, tek suçlu İlhami gözüküyordu. Bu nasıl oldu? Bunca zaman geçti, şu anda dahi, neler olduğunu bilmiyorum."

"Eee, Allah'ın da sopası yok! Uzun yaşasaydım, belki ben de Hüsnü Paşa'nın cezalandığını görürdüm. İyi olurdu," dedi Handan.

"Valla ben, İlhami cezasını çekecek diye sevinemedim. Hatta korkmaya başladım. Eda, kocasını kurtarmak için benim adımı mutlaka vermiş olmalıydı polise. Ben kime ne anlatacaktım? Bana kim inanırdı? Bağıra çağıra kavga etmiştim herkesin içinde, beni İlhami'ye ağzıma geleni söylerken duyan onca insan vardı Akmerkez'de.

Ay şimdi soracak neresi orası diye aklımdan geçirmeme kalmadı, "Akmerkez yeni bir semt mi?" diye sordu Handan.

"Semt değil. Büyük bir çarşı... Üstü kapalı bir çarşı."

"Kapalıçarşı'nın adını mı değiştirdiler?

"Hayır canım, gökyüzüne doğru yükselen yüzlerce Kapalıçarşı daha yaptılar. Biz, alışveriş merkezi diyoruz onlara. Bak, beni bölüyorsun, sorularını sonra sorsan?"

"Özür dilerim. Devam et, sen."

"Ne diyordum... Ha, o gün Akmerkez'de İlhami'ye herkesin içinde bağırmış, sonra da yayınevine gidip, orada bulamadığım Bora'ya küfürler savurmuştum ya, Bora'nın katili olmadığıma kimi inandırırdım? Ah, ne çaresiz bir durumdaydım! Kimseye danışamıyordum, kimseye güvenemiyordum. Neler olup bitiyor, anlayamıyordum. Deli olmak üzereydim. Can havliyle kaçmaya karar verdim. Amerika'da yaşayan kardeşime telefon edip uyandırdım onu gecenin bir saatinde, ertesi gün yanına geleceğimi söyledim.

'İçine mi doğdu?' diye sordu bana. Anlamadım elbette, ne demek istediğini... Kardeşime birkaç gün önce mide kanseri teşhisi konduğunu nereden bilebilirdim ki! Bana haber vermek için ameliyat tarihinin kesinleşmesini bekliyormuş. Kulaklarıma inanamadım! Hep başkalarının başına gelen ve asla bizim eve uğrayacağına ihtimal vermediğimiz o melun hastalık! Kanser! Allahım! Neden benim kardeşime? Çektikleri yetmedi mi? Bu yaşta kanser olunur mu? Kafamdan geçen onlarca saçma sapan, yanıtsız soru yüzünden duymaz oldum dediklerini. Ama artık her hastalığa çare bulunuyordu, hele de Amerika'da. Sakinleştim biraz, bana hastalığını nasıl fark ettiğini anlatan kardeşimi dinlemeye başladım yine... ve onu dinlerken bir fikir... kimseye zararı dokunmayacak bir beyaz yalan geldi aklıma!

'Ne tuhaf! Uzun zamandır seninle ilgili tuhaf rüyalar görüyordum, dün gece de rüyamda yine seni sıkıntıda görünce dayanamadım, bu saatte aradım,' dedim. "Hemen uçağa atlayıp yanına geliyorum, böyle zamanlarda kardeşler birbirine destek olmalı," diye eklemeyi de ihmal etmedim. Kardeşimin sesi titredi, inandı bana. Yanına gideceğim için çok sevinmişti.

Telefonu kapatınca internete girip (*Handan*'ın kaşları soru işareti gibi havaya kalktı yine)... Hepsini açıklayacağım *Handan*, ama izin ver önce hikâyemi aktarayım. Uçakta yerimi ayırttım, yayınevindeki sekreteri arayıp, kardeşimin kanser ameliyatında yanında bulunmak için acilen Miami'ye uçacağımı bildirdim. Avukatımda şirketin satışıyla ilgili vekâletim zaten vardı. Ona da, e-posta ile ani gidişimin sebebini yazdım, yokluğumda gerekenleri yapması talimatını verdim. Bankam zaten aidat, kapıcı ücreti gibi borçlarımı ödemekteydi. Saksılarımı komşumun balkonuna taşıdım; kapıcıya gazetelerimi kesmesini ve temizlikçime evi temizlemeye geldiğinde, bir yolculuğa çıktığımı söylemesini tembihledim. Neden gittiğimi soracak olanlara verilecek yanıt, hep aynıydı ve polis devreye girecek olursa eğer, İstanbul'dan geçerli bir nedenle ayrılıyordum. Kardeşimin ani ameliyatı! Kardeşim derdime bilmeden deva oluyordu da, ben ona deva olabilecek miydim acaba?"

Handan, kocaman siyah gözlerini gözlerime dikmiş, can kulağı ile beni dinliyordu.

"Başım dertte diye hayıflanırken, esas derdin ne olduğunu, meğer böyle öğrenecekmişim! Dünyada sağlıktan önemli hiçbir şey yokmuş, ölümden başka her şeye de çare varmış! Ama ben valizimi aceleyle toplarken bunu bilmiyordum henüz. Yanıma birkaç çamaşır, birkaç giysi aldım. Miami'de kalın giysilere, çizmelere gerek yoktu Allah'tan. Valiz de çabucak hazır olunca, artık tek yapacağım, uçağa binip gitmekti. Dönüşte ise... Allah Kerim!"

"İnanamıyorum! At arabası çağırır gibi kapına bir uçak çağırdın ve hemen o gün gidebildin mi yani Amerika'ya? Ben dünyaya fazla erken gelmişim, heyhat!"

"Yok, o kadar da değil. Uçak kapıma gelmedi, havaalanına taksiyle gittim. Polis kontrolünden geçme zamanı geldiğinde, kalbim o kadar hızlı atıyordu ki, kalp krizi geçirmekten korktum. Pasaportumu uzattım, genç memur önündeki bilgisayara bir şeyler yazdı, bekledi. Dizlerim çözülüyordu. Karnımdan bacaklarıma doğru bir ateş akıyordu. Başını kaldırıp yüzüme baktı. Kendimi zorlayarak gözlerinin içine baktım ben de. Uzattı damgaladığı pasaportumu bana, hemen kaptım elinden. Tuvalete koştum. Tanrım, bacaklarımdan ateş akıyor zannederken korkudan işemişim meğer. O akşamüstü başıma hiçbir tatsızlık gelmeden Amerika'ya uçtum. Dönüşüm kardeşimin iyileşmesinin seyrine bağlıydı. Ben, Amerika'da en fazla bir ay kalacağımı düşünüyordum." Acı acı güldüm, "İşte burada yanılmışım! Bir yıl dönemedim evime."

"İlhami'ye ne olmuş?"

"Hiçbir fikrim yok! Çünkü kimse hakkında bir şey bilmiyordu. Bilenler de konuşmuyorlardı. Bu arada şirketimiz satılmış, avukatım bana düşen payı kuruşu kuruşuna hesabıma yatırmıştı. Bana maddi açıdan hiç borcu kalmadı İlhami'nin. Ama ruhumdaki tahribatını dünya mülkü ile karşılayamaz. Hayırsız, tek bir söz söylemeden çıktı gitti hayatımdan."

"Hiçbir yerde karşılaşmadınız mı? Hiç haber almadın mı?"

"Ta babasının zamanında işe alınmış, yaşlı bir sekreterimiz vardı. İlhami'ye çok sadıktı. En doğru bilgiyi onun vereceğini düşünerek onunla mail'leşmiştim bir ara. Çok az bilgi verdi. Aile, yani Eda ve kızı Derya Londra'ya yerleşmiş. Evlerini satılığa çıkarmışlar. O sekreterden başka kimse bir şey bilmiyordu zaten."

"Hani tevkif edildi, demiştin İlhami için?"

"Doğru. İlhami gözaltına alınmış, bir sorgulama geçirmiş, ama sonra serbest bırakılmış. Adresini sordum. Sekreter güya onu da bilmiyordu. İnanmadım bilmediğine, bence söylemek istemedi. Her neyse, sanki yer yarılmış, içine girmişti İlhami. Onca araştırmama karşın, İlhami hakkında başka bilgi edinemedim.."

"Hapse girmemiş yani."

"Hayır, öyle olsa duyulurdu zaten."

"Duysaydın, yardımına gider miydin? Bu adamın o gece kaza yerinde olmadığına ben şahidim, der miydin?"

Durakladım. Ne cevap vereceğimi bilemedim. Gitmezdim dersem, *Handan* vicdansız olduğumu düşünecekti. Giderim de diyemiyordum, çünkü o evde olduğumu beyan etmek, beni de zanlıların arasına sokardı. Kendi ayaklarımla tıpış tıpış polise gidip suçlu iskemlesine oturabilir miydim? Yok, o kadar cesur değildim ben.

"Bilmiyorum," dedim.

"Demek İlhami senin biricik aşkın değilmiş. Yoksa hemen o gün yurtdışına kaçmaz, onun hapisten çıkması için gider, ifade verirdin." dedi kocaman gözlerini gözlerime dikerek.

Bozulduğumu belli etmemeye çalıştım, "Ama kardeşimin de bana ihtiyacı vardı," diye mırıldandım, "birkaç aylık ömrü kalmıştı. Ölüyordu."

Dudaklarının kenarında bana inanmadığını belli eden alaycı bir kıvrım, "Unutabildin mi bari İlhami'yi?" diye sordu.

"İnsan hayatının aşkını unutabiliyor mu, sen söyle"

"Yazarına bağlı," dedi *Handan*.

"Ben bir yazarın yarattığı roman kahramanı değilim ki, *Handan*."

"Olsun. Herkesin yazgısını yazan bir kalem mutlaka vardır."

Benim yazgımı hangi kalem yazmıştı? Nasıl bir son hazırlamıştı bana? İnsanların geleceğini görememesinin bir hikmeti olmalıydı.

Sonumuzu bilerek yaşasak, her gün ölürdük herhalde. Oysa en ümitsiz hasta dahi küçük bir umutla yaşıyor yüreğinde. Benim bile şu anda, romandaki *Handan*'dan çok değişik bir sonum olacağına inancım neredeyse tam, öyle değil mi?! Onun sonunu okuyup öğrendiğimden beri, ne kadar benzeştiğimizi değil, nasıl farklı olduğumuzu ispata çalışmıyor muyum?! Ben hayatta kalmalıyım çünkü! Sonum ona benzememeli. O yapayalnızdı, ölümü seçti. Benim ölümü seçme lüksüm yok!

Gün aydınlanıyordu. Oda ışıdıkça *Handan*'ın yüzü soldu, görünmez oldu. Ama biliyordum ki, koruyucu meleğim gibi, hâlâ yanı başımdaydı. Varlığını hissedebiliyordum. Bilemediği modern aygıtları sormaktan vazgeçmiş, kocaman siyah gözlerinde acıyan bir ifadeyle bakıyor olmalıydı bana. Bense, yıllardır içimde sakladığım sırrımı bir insana değil de bir hayale anlatmış olmanın şaşkınlığı ve rahatlığı içinde, pelte gibi yatıyordum yatakta.

Sesini mi duydum yine, yoksa bana mı öyle geldi?

Bana, kardeşini de anlat mı dedi?

Dememiş bile olsa, anlatacağım kardeşimi *Handan*'a.

Belki gider, başka âlemlerde, her neredeyse bulur onu, yumuşacık dokunur saçına, yanağına. Belki ona da dert ortağı olur, ablalık yapar. Belki benden selam söyler.

Tanrım, neler diyorum ben? Deliriyor muyum acaba?

KAYHAN

Yine bir hastane odasındaydım.

Ne zaman bir hastane odasına girsem, çok derinde bir sızı yalar geçer ya yüreğimi, yine öyle oldu ve yine ellerim istençdışı, karnıma gitti. Hemen toparladım kendimi ve hastane yatağındaki kardeşime baktım. Sol kolunun damarına bir plastik poşetten kan damlıyordu, gözleri kapalı, yüzü sapsarıydı. Yavaşça yaklaştım yanına.

"Kaykay," diye fısıldadım.

Yeni konuşmaya başladığında, doğrusuna dili dönmediği için, kendine, Kaykay, derdi. Kayhan adını ise ona, sırf Handan'a uysun diye seçmiş annem. Beğenmediği adı için beni suçlardı kardeşim. Açtı gözlerini, beni üzerine eğilmiş görünce, bir pırıltı geçti gözbebeklerinden. Elini uzatıp yüzüme dokunmak istedi, ama diğer kolu da bir başka tüpe bağlı olduğu için yapamadı. Ben sıkıca tuttum elini, eğilip öptüm.

"Geldin abla! Çok iyi ettin. Teşekkür ederim."

Yanaklarını da öpmek istediğimde tuhaf bir koku çarptı burnuma. Aseton kokusu gibi âdeta, keskin bir koku... Ölüm korkusunun kokusu olabilir miydi?

"Nasıl geçti yolculuğun?" diye sordu. Onu yanıtlayacağıma ben sıraladım sorularımı.

"Asıl sen anlat nasıl olduğunu. Telefonda konuştuğumuzda evindeydin. Ne oldu arada? Neden hastanedesin?"

"Sabah bir kanama geçirdim. Ameliyattan şimdilik vazgeçtiler."

"Kayhanım, ne oldu sana? Yazın bıraktığımda turp gibiydin."

"Çürükmüşüm meğer. Neyse, onu anlatırım da abla, hazır Defne burada değilken seninle konuşmamız lazım."

"Sahi Defne nerede?" dedim.

"Sen kapıda kalmayasın diye onu eve yolladım. Seni evde bekliyor."

"Hay Allah! Bana niye hastaneye gel diye mesaj attırdın o halde?"

"Çünkü seninle hemen konuşmalıyız. Benim çok vaktim yok."

"Bak, böyle konuşup durursan vallahi geldiğim gibi dönerim. Moralini yüksek tutacaksın. Biz iki kardeş, her şeyin üstesinden geldik. Bu hastalığın da üstesinden geleceğiz."

"Abla, dinle beni... Bu bizim üstesinden gelebileceğimiz bir şey değil. Benim günlerim sayılı. Seni Defne'yle ilgili konuşmak için çağırdım hastaneye, kızı da uzaklaştırdım buradan."

"Ben böyle şeyler konuşmak istemiyorum," dedim.

"Sonra pişman olursun ama. Bak, hâlâ halim varken, beni yorma da, dinle lütfen."

"Kayhan, sen iyileşeceksin. Önce buna inan, sonra ne istersen söyle."

"Tamam. İyileşeceğim. Ama iyileşemeyecek olursam, Defne sana emanet. Türkiye'ye dönerken onu da al, yanında götür."

"Annesi bırakır mı?"

"Annesinin onayına ihtiyacı yok, velayeti bende. Mayısta kolejden mezun olacak. Üniversiteye İstanbul'da gider. Sen de burada kaldığın sürece lütfen onunla hep Türkçe konuş ki, Türkçesini ilerletsin."

"Benimle gelmek ister mi? Koskoca kızı, gelmem derse zorlayamam ki."

"Gerekirse zorla. Burada yapayalnız bırakma onu. Annesinin arayıp sormadığını biliyorsun zaten. Yazın konuşmuştuk bunları. Kızının doğum gününde bile telefon etmedi bu sene."

"İnanmıyorum!"

"Neden? Sandra'yı bilmez misin?"

"Peşine takıp getirdiğinde, annem az mı söylenmişti, nereden buldun bu pespaye saçaklıyı diye! Haydi buldun, gençti, güzeldi, âşık oldun, niye çocuk yaptın, niye evlendin?"

"Başlarda böyle değildi."

"Aman Kayhan, her zaman böyleydi. Uçuk kaçık kızın tekiydi. Nerede şimdi o?"

"Batı sahillerinde bir yerde kokaine batmış halde yaşıyor. Hayatı tamamen kaymış... Kızını düşünecek hali yok, yani."

"Hay Allah!" dedim.

"İşte bu yüzden, Defne'ye sahip çıkacağına bana söz ver abla. Sana yük etmem onu. Bankada birikmiş param var biraz. Sana vekâlet vereceğim paramı çekebilmen için."

"Ne diyorsun sen Kayhan, yeğenimin yiyeceği bir kap yemek için senden para mı alacağım?"

"Başka masrafları da olabilir."

"Her ne masraf ettiysem, seninle hesaplaşırız sonra."

"Sen anlamadın galiba, bu işin sonrası yok! Ben gidiciyim abla. Defne bilmiyor henüz ama yakında öğrenir. Burada sözünü sakınmıyor doktorlar. Pat diye söylüyorlar yüzüne karşı. En fazla üç ay yaşarsın, dediler, bir ay da olabilirmiş, planlarını ona göre yap, dediler. Ben de dalga geçtim onlarla, üç aylık bir gemi seyahatine çıkayım, ufuk çizgisine gelince hemen atlar, öte tarafa geçiveririm, dedim. Neyse abla, şaka bir yana, benim durumum bu işte."

"O doktorla bir de ben konuşayım."

"Önce biz ikimiz konuşalım, hazır Defne yokken."

"Tamam kardeşim, kızın bana emanet. Ona gözüm gibi bakarım, merak etme ama sen de ölmeyeceksin, bunu bil."

"Ben daha önce şey olursam... Defne kolejden mezun olana kadar burada kalır mısın? Yüzdü yüzdü, kuyruğuna geldi, diplomasını alsın istiyorum."

"Koleji bitirene kadar kalırım da, üniversiteye burada gitmek isterse, ama bak, açık söyleyeyim, buraya yerleşemem. Sana söz, elim hep üstünde olur. Ziyaretine gelirim, onu tatillerde yanıma aldırırım. Yahu, biz ne konuşuyoruz, ya... Lütfen Kayhan... Sen iyileşecek, kızına kendin sahip çıkacaksın."

Ağlamaya başladım.

"Ağlama abla. Gözyaşlarının bir faydası yok!"

Yatağın başından ayrılıp pencerenin önüne yürüdüm. Arkamı odaya döndüm, yaşlar iri yağmur damlaları gibi düşüyordu gözümden.

"Orada gizli gizli ağlama, gel yanıma otur," dedi kardeşim.

Geri geldim, yatağının yanındaki iskemleye iliştim.

"Sen çocukken de beni böyle ağlatırdın. Çekmelerimi karıştırır, boyalarımı kullanır, resim defterlerimi karalardın. Annemin kıymetlisiydin ya, hiç söz söyletmezdi sana, ben de hırsımdan odama kapanır ağlardım."

"Talimlisin benim yüzümden ağlamaya."

"Hem de nasıl."

"Ben de senin yüzünden az ağlamadım ama."

"Ne zaman?"

"Oya'yla, sen diğer çocuklarla birlikte atlardınız denize Güzelbahçe'deki evin rıhtımından, ben tek başıma kalakalırdım. Güneş sırtımı canavar dili gibi yalarken, siz serin suların içinde... Ben rıhtımda salya sümük! Zatülcenp geçirdiğim için annem denize girmeme izin vermezdi, hatırladın mı?"

"Hatırlamaz mıyım?! Ah keşke satılmasaydı o ev. Biliyor musun Kaykay, hâlâ rüyalarıma girer. Bahçesinde oynarken görürüm hepimizi."

"Bir zamanlar ne keyfli bir aileydik..."

"Bak ne diyeceğim, sen biraz toparlanınca seni İzmir'e götüreyim."

"Burnumda tütüyor İzmir. Hastalanmasaydım, yaza kızı da alıp gelmeye karar vermiştim. Önce İstanbul'a, sonra ver elini İzmir! Ağız tadıyla bir kumru yiyeyim, Kordon'da batan güneşe karşı rakımı içeyim istedim... Kısmet değilmiş."

"Olumlu düşünürsen kısmet olur. Bakarsın, Defne, sen, ben, üçümüz birlikte gideriz İzmir'e. Artık oralarda evimiz kalmadı ama ne gam, otel dolu İzmir. Kızına büyüdüğün evleri, okuduğun okulları gösterirsin."

"Keşke!"

"Pişmansın biraz değil mi hepimizi böyle ihmal ettiğin için? Niye hiç çocuklarını alıp bizleri ziyarete gelmedin Kayhan? Paran mı yoktu?"

"Sorun para değildi abla, ben Sandra'yı ne tek başına bırakabildim, ne yanımda getirebildim. Tut ki getirdim, foyamız bir haftada çıkardı ortaya. Bizimkiler dehşete kapılırdı... Neyse, olmadı işte."

"Ne çok şey olmadı, be kardeşim!.. Anamız babamız torunlarına hasret yaşadılar. Resimleriyle avundular. Çok güzel çocuktular ikisi de... Annem evini onların fotoğraflarıyla donatırdı."

"Kader işte!" dedi Kayhan.

Kadermiş! Kader, Allah'ın yazdığıydı, çocuksuz kalmaya mahkûm olmaktı, mesela. Ama Kayhan uzun sarı saçlarına ve uzun bacaklarına kapıldığı kızı, ne olduğunu bilerek almıştı. Bence aşkından filan değil, kız hamile kaldığı için, dürüstlüğünden, mertliğinden. Kolunda saçları beline inen karısı, kucağında iki aylık Derin'le İzmir'e geldiklerinde, bütün aile şok geçirmişti. Henüz yüksek tahsilinin ortasında, gencecik bir öğrenciydi Kayhan. Babam kıyametleri koparmıştı. Annemle büyükanneler araya girmiş, babamı yumuşatmaya çalışmışlardı. Madem bir çocuk vardı ortada, civciv gibi minicik bir torun vardı, gereken yapılacaktı elbette. Nitekim, babamın oğlunun emrivakisine kızgınlığı ancak birkaç hafta sürmüştü. Sonuçta barıştılar, acele çareler düşünüldü. Kayhan İzmir'deki Dokuz Eylül Üniversitesi'ne kayıt yaptırdı. O yılı bizim evde geçirdiler. Kayhan, işletme bölümünden mezun oldu. Hatta İzmir'de yeni yılda başlamak üzere, kendine bir iş bile buldu. Sonra Sandra'nın ısrarıyla, Noel'i Amerika'da geçirmek, bebeklerini kızın ailesine göstermek üzere gittiler. Gidiş o gidiş!

Annemle babamın toruna dair gördükleri yegâne mürüvvet o yedi ay boyunca odalarında, hatta koyunlarında uyuyan, sapsarı saçlı, koca mavi gözlü bebeciktir. Defne'nin doğum haberi ve ilk resimleri ise, iki yıl sonra gelmişti.

Kayhan'ın eş diye Sandra'yı seçmesinin bedeline bakın siz!

Madde bağımlısı karısı yıllar önce çekip gittikten sonra, çocuklarını ne cefalar çekerek, tek başına yetiştirdi. Onların yüzünden bir daha evlenmedi. Bu fedakârlığına rağmen, geçtiğimiz yaz benim onları ziyarete geldiğimin haftasında, Derin baba evini terk edip Katmandu'nun yolunu tutmuştu. Gençlerin hayatın sırrını aramaya Hindistan'a gitmeleri, yetmişli yılların modasıydı ama bu demode çocuk, Amerikan'ın vahşi kapitalizminden nefret ettiğini ileri sürerek mutluluğu Uzakdoğu'da aramaya gidiyordu. Kayhan çok üzülmüş ama elinden bir şey gelmemişti. İki binli yıllarda,

Amerikalı babalar Türk kökenli olsalar da delikanlı oğullarının seçecekleri yolları tayin edemiyorlardı. Çocuklardaydı son söz!

Şimdi, hasta yatağında yatarken yarasını depreştirmemek için, lafını bile etmiyordum, oğlunun. Düşüncemi okumuş gibi, "Derin'in başıma gelenlerden haberi yok," dedi. "Katmandu'da çok yoksul bir köyün ilkokulunda gönüllü öğretmenlik yaptığını söylemiştim, değil mi? Şimdi iş de buldu. Okul sonrasında, bir şantiyede çalışıyor. İyi para veriyorlarmış. Memnun hayatından. Tek sorun, zaman farkından dolayı telefonlaşmanın çok zor olması. Bir de bulunduğu yerde çekim gücü çok azmış. Hastalığımı bilsin istemedim. Üzülüp durmasın ta oralarda. Gelmeye filan da kalkışmasın, düzenini bozmasın benim için. Burada olsa, elinden ne gelir ki?! Ama bak, gelecek olsa bile, Defne'ye sen sahip çık, emi."

"Tabii ki canım, merak etme sen."

Kayhan yorulmuştu, gözlerini yumdu. Eğilip alnından öptüm, "Madem kızın beni evde bekliyor, ben kaçayım şimdi. Yarın görüşürüz Kaykay," dedim.

Gözlerini açmadan, "Sana söylediklerimi unutma," dedi.

"Merak etme. Defne, bende!"

Gergin yüzü gevşedi. Çıktım yanından, tekerlekli valizimi çekiştirerek önce doktorunun giriş katındaki odasına, durumunu konuşmaya, sonra da bir taksiye atlayıp kardeşimin evine gittim.

DEFNE

Defne'nin başı kucağımdaydı. Saçlarını usul usul okşarken, doktorun bana hiç sakınmadan söylediklerini, ben ona yumuşatarak, lafı dolandırarak anlatmaya çalışıyordum.

"Ama hala, hiçbir şeyi yoktu ki babamın," deyip duruyordu çocuk, "yanlışlık yapmışlardır, bir daha baksınlar. Bir kere daha MR çeksinler, kan alsınlar. Lütfen hala!"

"Hepsini yapmışlar canım. Şimdi bize düşen güçlü olmak."

"Yaşama şansı az diyorsun hala, nasıl güçlü olayım ki?"

"Mecburuz, yavrum," dedim, "moralimizi yüksek tutacağız, babana üzüntümüzü hiç belli etmeyeceğiz ki, onun morali de bozulmasın. Kalan ömrünü mutlu yaşasın. Ayrıca, bu hastalıkta moral çok önemli. Bakarsın bir iyileşme olur. Umudumuzu asla kaybetmeyeceğiz, Allah'a dua edeceğiz."

"Duanın hiçbir faydası yok! Annem gittiğinde eve dönsün diye ne çok dua ettim ben. Ne oldu? Ne Allah duydu beni ne de annem."

"Aynı şey değil Defnem, annen tedavi olmayı kabul edeydi, gitmezdi zaten. Onunki de ciddi bir hastalıktı ama tedaviyi ret etti. Ama bak, baban iyileşmek için elinden geleni yapıyor."

"Ya iyileşemezse? Darren da (Derin'i böyle telaffuz ediyordu ve ben onu incitmemek için düzeltemiyordum) yok, biliyorsun. Ara sıra mail atar, hepsi o. Babama bir şey olursa, ben ne yaparım hala?"

"Ben varım," dedim, "benim kızım olursun Defne. Ben seni asla yalnız bırakmam."

"Ama sen İstanbul'da oturuyorsun, değil mi?" diye sordu.

"Sen de gelmek ister misin İstanbul'a? Çok güzel bir şehirdir."

"Biliyor musun, biz zaten konuşmuştuk babamla, hastalanmasaydı, yaz tatilinde gelip sende kalacaktık."

"Hele yaz gelsin, inşallah ikimiz..."

"Babam bu halde yolculuk yapmamalı, hala. Yorulur. Çok zayıfladı. Belki onu buralarda deniz kenarına bir otele götürürüz. Denizi çok sever çünkü."

"Tabii, bakarız," dedim, "sen şimdi bana şunu söyle: Kolej bitince üniversiteye gitmek istiyor musun?"

"Babama söz verdim. Bir sürü yere başvuru yaptık birlikte... Birinden biri olur mutlaka."

"İnşallah."

"Darren yarı yolda bırakmasaydı üniversitesini, ben gitmesem de olurdu ama babam o kadar çok üzüldü ki ona, şimdi ben de gitmezsem... Hala, babamı mutlu etmek istiyorum, ben."

"Üniversiteyi İstanbul'da veya İzmir'de de okuyabilirsin, istersen."

"Türkçem yetmez."

"Orada İngilizce eğitim veren üniversiteler var."

"Sahi mi? İsterdim de, babamı bırakamam."

Ona anlatmaya çalıştıklarımı göz ardı etmiş, hâlâ babasının yaşayacağını sanıyordu. Zorlanarak, "Baban da gelirdi. Çok özlemiş zaten vatanını," dedim.

"Babam iyileşsin, ne isterse onu yapacağım," dedi yeğenim.

Kocaman mavi gözleri, annesinin gençliğindeki gözleri gibiydi. Ama okşayıp durduğum gür kumral saçlarını bizim taraftan almış, Defne. İçinde kızıl pırıltılar yanıp sönen, uzun, kalın telli saçları vardı. İnce uzun bedeni ise, yine annesine benziyordu. İçimden, "Allah huyunu ona benzetmesin," diyerek parmaklarımla önümdeki sehpanın tahtasını tıklattım.

"Ne yaptın öyle?" diye sordu.

"Tahtaya vurdum."

"Neden?"

"Biz Türkler yaparız böyle manasız şeyler, sen bana aldırma," dedim.

"Babam için tahtaya vurdun, değil mi? Ona bir şey olmasın diye?"

"Evet."

"İyi ki geldin hala," dedi. İngilizce konuşuyorduk ama bana a'ları yumuşatarak Türkçe, '*hala*,' diyordu.

"Türkçe konuşalım mı?" diye sordum. "Bakalım ne kadarını unutmuşsun, geçen yazdan beri?"

"Babamla aramızda hep Türkçe konuşuyoruz. Unutmadım."

Derin'in adını Türkçe telaffuzuyla özellikle vurgulayarak sordum, "Derin'in arası nasıl Türkçeyle."

"Benden iyi olması lazım aslında, o yaşamış orada ama ben daha akıcı konuşuyorum."

"Neden öyle, biliyor musun Defne?"

"Neden?"

"Kızlar lisana daha yeteneklidirler de ondan."

"Yetenek nedir?"

"Yetenek, kabiliyet işte (İngilizcesini söyledim)... Kızlar dil öğrenmeye erkeklerden daha yatkınlar."

"Aman hala, burada kız-erkek hiç fark etmiyor. Kimsenin dili, Amerikancadan başka şeye dönmüyor bu ülkede," dedi yeğenim.

"Senin dilin Derin'e dönsün, çünkü bu adın Türkçe anlamı çok güzel."

İyi niyetini hemen gösterdi:

"Dren'le ben..."

Güldüm, "Derin," dedim, "Derin, E'ye basarak söyle."

"Ona burada Darren diyorlar da, ağzım alıştı. Derin'le ben iyiyiz yine, bir şeyler paralayabiliyoruz başka bir dilde."

"Bak, Derin'i doğru söyledin, sonunda! Yaşa sen!"

Defne'nin, Amerikan aksanıyla konuşuyor da olsa, iyi-kötü bir Türkçesi vardı ve beni mutlu etmek için elinden geleni yapıyordu. Darren yerine Derin demeye de çok dikkat etmeye başlamıştı, örneğin. Yakında elime kalacağı için beni hoş tutmaya çalıştığını zannetmiyordum, çünkü geçen yaz, onlarda kaldığım sürede de beni hep memnun etmeye gayret etmişti. Ana sevgisine muhtaç, sevecen bir çocuktu. Ben de onu giderek daha çok seviyordum. Onu kanatlarımın altına almak, korumak, kollamak, ona arka çıkmak istiyordum. Allah elimden kardeşimi alırken yerine bana bir çocuk mu veriyordu acaba? Hep böyle yapıyordu, kaşıkla verirken sapıyla gözümü çıkartıyordu yukarıdaki. Bana pek cömert davranmadığı, mutluluğumu asla bedelsiz vermediği kesindi ama ara sıra beklenmedik mükafatlarım da oluyordu, Defne'nin hayatıma girişi gibi!

❖❖❖

Bir süre hiç konuşmadık. Sonra baktım, başı dizimde uyuyakalmış. Uyandırmamaya dikkat ederek, yavaşça divanın kolçağına kaydırdım başını. Uyandığında acıkmışsa bir şeyler atıştırasın diye hazırlık yapmak için mutfağa gitmeden abajurun ışığını kapattım, üzerine şalımı örttüm.

Annelik böyle bir şeydi, demek! Bu duyguyu sevdim.

VEDA ZAMANI

Miami'de üçüncü ayımı doldurmak üzereydim. Kardeşim birkaç günden beri daha iyiydi. Kemoterapileri kesmişlerdi. Yüzüne renk geldiğini söyleyemem ama benim kızını bırakmayacağıma, öz evladım gibi sahip çıkacağıma ikna olduğundan beri gözlerinin içine mutlu bir ifade gelmişti. O hastanede canıyla cebelleşirken biz Defne'yle evde kendimize huzurlu bir düzen kurmuştuk. Her sabah, kahve ve mısır gevreği yerine, çaylı, zeytinli, peynirli Türk usulü kahvaltımızı ettikten sonra evden birlikte çıkıyor, otobüs durağına kadar yürüyüp ayrı istikametlere giden otobüslerimize biniyorduk. Ben hastaneye, o okuluna!

Kayhan'ın beni görecek hali olmadığı günlerde dahi sabahlarımı onun başında geçiriyordum. Ona alçak sesle İzmir'de geçen çocukluğumuzdan, ilkokul haylazlıklarımızdan, ilkgençlik heyecanlarımızdan aklımda kalan renkli anıları aktarıyordum. Benim sesimde hasret yankılanırken o beni duyabiliyor muydu, emin olamıyordum. Bildiğim bir şey varsa, o da bu başucu seanslarının bana çok iyi geldiğiydi. Ben, her ikimizin de çok özlediği ailemizden söz ederken, yedi-sekiz yaşlarıma dönüyordum. Hayatın hep böyle ışıklı, güzel günlerle geçeceğini zanneden, mutlu, gamsız, dertsiz küçük kıza! Ne şanslı çocuklarmışız biz! Şu anda ölüm döşeğindeki kardeşimin bile pek çok kimseden daha şanslı olduğunu düşünüyordum. İnanıyordum ki, çocukluklarını sevildiklerini bilerek geçirenler, dünyanın en mutlu, en uyumlu insanlarıydılar. Kayhan'ın çocuklarının mesela, babaları, halaları gibi gamsız ve mutlu bir çocuklukları olamamıştı. Küçücük yaşta, anneleri için endişelenen, babaları için üzülen iki yavruydu onlar. İlkokuldayken, her eve dönüşlerinde, babalarının işten eve gelişini, bir başka komşunun evinde beklemişler, arkadaş annelerinin pişirdiği kurabiyelerle beslenmişlerdi. Ana kucağı diye bildikleri, haftada üç gün yardıma gelen zenci kadının tombul kollarının arasındaydı; ana kokusu muhtemelen babalarının tütün kokulu nefesindeydi. Büyükanne ve dedeler ise, şöminenin üzerine dizili çerçevelerden bakan, dünyanın bir başka ucunda, başka bir dil konuşan, hiç tanımadıkları insanların fotoğraflarıydı.

Oysa bir de bize bakın...

Okul dönüşlerinde evde anne yoksa teyze, o da yoksa, ilgiyi, sevgiyi beşe katlayıp sunan bir çift büyükanne ve dede hep vardı!

Kardeşimin hastalığını öğrendiğim güne kadar, bir cin çıksaydı karşıma ve bana dile benden ne dilersen, deseydi, ben nano teknolojinin bir an evvel gelişmesini, beni yedi yaşlarıma döndürüp hep aynı yaşta bırakmasını, dünya döndükçe aynı ışıklı şehirde, aynı evde, ailemle birlikte yaşamamı sağlamasını dilerdim. İşte bu yüzden, Defne okuldan döndüğünde, hep evde olmaya dikkat ediyordum ki, ona gelir gelmez kekini, limonatasını ikram edeyim, gününün nasıl geçtiğini sorayım, babasının hastalığına dair çoğu kez beyaz yalanlarla süslenmiş olumlu gelişmeleri (gözlerine bakmadan) aktarayım... O da bana okulda olup biteni anlatsın, mesela beğendiği çocuktan söz etsin ve ben onu anlayışla dinleyeyim. Onun en sevdiği şeylerden oluşan akşam yemeğimiz ısıtılmaya hazır beklesin mutfak tezgâhının üzerinde. Yemekten sonra banyosunu ellerimle doldurayım. Saçlarını ben kurutup tarayayım. İyi ve anlayışlı bir anneye dair ne biliyorsam, hepsini sunayım bana emanet edilmiş bu yalnız çocuğa.

Nasıl da içimde kalmış meğer, annelik hevesi!

Kayhan'la birlikte, Defne'nin hastane ziyaretlerini haftada iki kereyle sınırlamıştık. Dersleri erken bittiği için çarşambaları, bir de pazar günleri geliyordu babasını görmeye. Bu ziyaretler, kardeşimin kendini çok kötü hissettiği günlere denk gelirse, sırf bu iş için sürekli küçük armağanlar verdiğim başhemşire telefon edip o gün hastanın bazı tetkiklerinin yapılacağını, bu nedenle gelmememizi bildiriyordu. Ben anlıyordum. Defne anlamıyor, belki de anlamamış gibi yapıyordu.

❖❖❖

Son birkaç gündür Kayhan'da gözle görülür bir iyileşme vardı. Pazarı beklemeden, cuma günü Defne'ye telefon etmiş, okuldan sonra eve değil hastaneye gelmesini söylemiştim.

"Aman Tanrım! Bir şey mi oldu?" diye sormuştu.

"Bugün baban kendini çok iyi hissediyor. Hatta geldiğimde yatağın yanındaki koltukta otururken buldum onu. Gel de bir resminizi çekeyim babanla."

"Tamam."

Telefonu kapattım, göz kırptım kardeşime, "İster misin Derin'den de bir haber alalım bugün?"

"İsterim ama mümkün değil. Saatler tutmuyor."

"Sana bir şey itiraf edeceğim Kaykay, ama kızmak yok."

Kaşlarını kaldırıp yüzüme baktı.

"Defne senin hasta olduğunu bildirdi Derin'e."

"Yapmasaydı keşke. Gelmeye kalkışmasın. Hayatının akışını benim yüzümden değiştirmesini istemiyorum."

"Sadece hastalandığını, bir süredir hastanede tedavi gördüğünü yazdı."

"*Skype* yapmaya kalkarsa ne olacak?"

"Fena mı, oğlunla yüz yüze konuşursun."

"Bu halimi görsün mü?"

Gözlerimi kaçırarak, "Ne varmış halinde? Biraz zayıfladın, hepsi bu," dedim.

" O halde tıraş olayım bari," dedi Kayhan.

"Tıraş makinen nerede?"

"Şu çekmede olacak."

"Haydi gel, seni ben tıraş edeyim. Derin aramasa bile Defne sevinir seni böyle tıraşlı, bakımlı görünce."

Tıraş faslı bittikten sonra, kardeşim kabartılmış yastıklarına yaslanmış, ben onun kalktığı koltuğu yanı başına çekip oturmuş, çıplak ayaklarımı yatağının kenarına dayamıştım.

Çoğu kez yaptığımız gibi, yine geçmişteki İzmir anılarımızdan konuşuyorduk. Sonra Kayhan, birden günümüze dair bir soruyla aklımı karıştırdı.

"Yazın geldiğinde, hayatımda biri var, ona çok âşığım, demiştin. Ne oldu o adama. Aşkın devam ediyor mu?"

"Ayrıldık," dedim.

"Neden?"

"Öyle gerekti."

"Sebebini bana söylemeyecek misin?"

"Evliydi. Bildiğin mutsuz evliliklerden... Ben önceleri bir umut besledim boşanacağına dair. Baktım ki niyeti yok, vazgeçtim işte. Bir adamın hayatında ikinci kadın olmak kolay değil. Üstelik bir de çok düşkün olduğu kızı vardı. Karısı, kızı derken sıra bana zor geliyordu, Allah'ın cezası egom kaldıramadı."

Kardeşime bunları anlatırken yüzüne hiç bakmamıştım.

"İyi etmişsin!"

Elini uzatıp elimi yakaladı sıkıca, beni teselli etmek ister gibi. Başımı kaldırdım, göz göze geldik. Ben onun gözlerinde âdeta bir ferahlama gördüm, hayatımda kimse olmadığı, sevgimi, ilgimi sadece kızına vereceğim için. Benimse sıraladığım yalanlardan dolayı yanaklarım kızarmıştı, yüzüm yanıyordu.

"Yahu abla, belki sırası değil ama hep merak etmişimdir. Nedim'den niye ayrılmıştın?" diye sordu Kayhan. "O güzel adam, Haşim Efendi için bırakılır mıydı?! Bence içine ettin hayatının."

"Konuşana bak," dedim, "Sen Sandra'yı seçerek sanki etmedin kendi hayatının içine."

"Benim seninki gibi harika bir sevgilim yoktu ki, Sandra'yı bulduğumda. Haydi ben de sana bir itirafta bulunayım giderayak. Sandra, hayatımda ilk yattığım kızdı."

"Atma! İzmir'de kaç tane sevgilin oldu, ona gelene kadar."

"İzmirli kızlar yatmazdı, öpüşürlerdi sadece."

"O yaşa kadar sen hiç?.."

"Elbette yatmıştım ama bedelini ödeyerek. O yıllarda, çıktığın kızla sevişemezdin, bilmez gibi yapma? Biraz da bu konudaki toyluğumdandır başıma gelenler. Korunmayı filan hiç düşünememiştim. Neyse, sen beni boş ver de sorumu cevapla."

"Düşünüyorum da Kayhan, belki de iyi olmuştur Nedim'den ayrılmam. Doğurmamak yazılmışsa kaderime, onun çocuğunu da doğuramazdım. O bana asla Haşim'in yaptığını yapmazdı ama eminim bir çocuğu olsun çok isterdi. Dışavuramadığımız, bastırılmış hayal kırıklıklarımızla yaşar, bu yüzden mutsuz olurduk."

"Belki de hem doğururdun, hem de çok mutlu olurdunuz. Ben çok severdim Nedim Abi'yi."

"Kısmet işte! Evlendiğini duydum ama hiç karşılaşmadık, biliyor musun?"

"Nerede karşılaşacaktın ki, yıllarca uğramadı İzmir'e. Çok sonra gelmiş, karısını, çocuklarını tanıştırmaya. O zaman senin ilişkin çoktan kesilmişti İzmir'le."

"Sen nereden biliyorsun bunları?"

113

"Facebook hayatımıza girdikten sonra buldum onu. Haberleştik, birbirimize çocuklarımızın fotoğraflarını gönderdik."

"Çocukları mı olmuş?"

"İki oğlu olmuş. Karısı Türk ama Amerika'da tanışmışlar."

"Beni sormadı mı hiç?"

"Sormadı."

"Ya!" Sesim düştü.

"Nedim kim bilir nerededir şimdi?" dedim.

Bir sessizlik oldu aramızda,

"Defne de nerede kaldı?" dedi Kayhan.

"Daha gelmesine çok var," dedim. "Sen Nedim'le hâlâ haberleşiyor musun, Kaykay?"

"Abla... şey... haberleşemiyoruz."

"Neden? Bir sorun mu oldu?"

"Yo, ne sorunu olacak? Hatta çok yakında görürüm onu herhalde, selamını götüreyim mi?"

"Nerede buluşacaksınız?"

Gülümsedi fakat gözleri mahzundu: "Öte tarafta."

"Nasıl yani?"

"Nedim öldü, abla... Ölmüş... Trafik kazasında."

Boğazımda bir lokma varmış gibi, bir an nefes alamadım, sonra sordum sesim titreyerek: "Ne zaman?"

"Altı ay kadar oluyor."

"Niye söylemedin bana?"

"Üzülmeni istemediğim için."

Kardeşimin yanında çözülmek istemiyordum. Lafı değiştirmeye çalıştım. "Kayhan, sen beni üzmek istemiyorsan, öyle öte tarafa gidiyorum gibi laflar etme. Hayata asıl. Hep olumlu düşün, ölümü kendine yakıştırma. İyileşeceğine inan... Bak, zaten iyiye gidiyorsun son günlerde, kemoterapinin çok faydasını gördün... Senin kızınla, oğlunla birlikte daha uzun yılların var bu tarafta, tamam mı kardeşim?"

"Tamam canım."

"Sen biraz uyu, dinlen şimdi, Defne geldiğinde bomba gibi ol. Ben aşağıya iniyorum, bir kahve içmeye ve zıkkımlanmaya."

"Sen de benim hatırım için içme şu zıkkımı. Tamamen bırak sigarayı abla, lütfen."

"Tamam. Anlaştık," dedim.

Yatağının başını azıcık alçaltıp, üzerindeki örtüyü düzeltip çıktım odadan, asansöre yürüdüm. Boğazımda o bir türlü yutamadığım kocaman lokma, sanki gözlerime yürümüş, gözyaşlarına dönüşmüştü ama gözpınarlarımda titreşiyor, bir türlü akamıyordu. Nedim ölmüş! Benim hiç haberim olmamış! On beş, on altı, on yedi yaşlarım, ilkgençliğim, ilk aşkımla birlikte hiç yaşanmamışçasına bir silgiyle hayat defterimden silinmiş gibi hissediyordum. Nedim'e mi yanıyordum o anda, yoksa kendime mi, emin değildim. Asansöre binmekten vazgeçip kat tuvaletine yöneldim. Boştu Allah'tan. Muslukların birinde yüzümü yıkadım. Yüzümü kuruladığım kâğıt havlunun parçaları yanaklarıma yapışıp kalmıştı, son anda gözüm aynaya ilişmese, bilmeyecektim. Kâğıtları topladım yüzümden, çıktım.

Kafeteryada bir kahve aldım kendime, boş bir masaya iliştim. Yanıma son iki haftadır hep rastladığım, ara sıra da sohbet ettiğim yaşlı kadın gelip oturdu.

"Nasıl gidiyor? "diye sordu.

"İki gündür daha iyiyiz," dedim. Ben sormadığım halde, açık kalp ameliyatı geçirmiş kocasının gidişatı hakkında ayrıntılı bilgi vermeye başladı.

"Sigaramı kahvem bitmeden içmek istiyorum, bahçeye çıkacağım," dedim, "izninizle."

Kendimi bahçeye attım. Sigarayı yakarken kardeşime verdiğim söz geldi aklıma. Herhalde Defne'nin beni sigara içerken görüp özenmemesi için öyle söylemişti. Sütten ağzı yananın yoğurdu üflemesi misali, yoksa ne çıkardı benim üç beş sigaramdan? İlk nefesimi içime çekerken çocukça bir korkuya kapıldım. Ya ben sözümü tutmadığım için o da tutmaz, fenalaşıverirse... Allah korusun... Dumanı içime çekemeden üfledim ağzımdan dışarı, sigarayı yere atıp üzerine bastım. Başımı yerden kaldırınca, SİGARA ÇÖPLERİNİ YERE ATMAYIN yazlı levhayı gördüm. Eğilip aldım yerden izmariti. Leş gibi kokuyordu, çantama atamadım, cebime sokamadım. Çaresizce bakındım etrafıma, bir çöp kutusu bulmak umuduyla. Yoktu. Sönmüş sigarayı elimde fare ölüsü taşır gibi kendimden uzak tutarak içeri girdim. Demin masama oturan kadın bana el ediyordu. Yanına gittim. Baktım çantasından çıkardığı küçük teneke kutunun kapağını açmış, bana uzatıyor.

"Buraya at elindekini," dedi, "seneler önce bırakmıştım ama kocamın hastalığında yeniden başladım. İçmeyi teşvik etmemek için mahsus çöp tenekesi koymuyorlar bahçeye. Ama içmeyi kafaya koyana çare tükenmez!"

Sigaramı kutuya bıraktım.

"Bitirmemişsin?"

"Bir nefes yetti bana. Şimdi kocanızın haberlerini dinlemeye hazırım."

İskemleyi çekip oturdum karşısına. Yüzü aydınlandı. Anlatmaya başlarken durdu, "Adın Damdam'dı, değil mi?" diye sordu.

Damdam! Bana adımı takan babaannemin isimlere verdiği önemi hatırlayınca önce bir kahkaha fırladı dudaklarımdan, kendimi tutmaya çalıştıkça daha beter gülmeye başladım. Damdam! Gülmekten gözlerimden yaşlar geliyordu. Damdam! Ara sıra, "sinirlerim çok bozuk da o yüzden böyleyim" gibisinden ancak bir Türk'ün anlayabileceği manasız bir açıklama yapıyor, gülmeye devam ediyordum. Aslında içimden böğürerek ağlamak geliyordu fakat ağlayacağıma gülüyordum. Kadının şaşkın yüzünü gördükçe daha fazla gülüyordum. Nihayet susabildim.

"Adını doğru söyleyemedim galiba. Çok komik ya da çok ayıp bir şey mi söyledim?" diye sordu.

"Yok, kıl payıyla çok ayıp bir şey söyleyebilecekken, kurtardınız," dedim, "adım başındaki harfe göre, değişik anlamlar taşımaya açık. Şamdan deseydiniz mesela mumluk olurdu. Candan deseydiniz, samimi anlamına gelirdi." Daha pek çok kelime saymaya hazırlanıyordum ama yüzündeki ürkmüş ifadeyi görünce sustum.

Bir deliye bakar gibi bakıyordu bana.

"Adınız neydi?"

"Handan. Hannover'in Han'ından aklınıza gelsin, hani var ya öyle bir şehir?"

"Anlamı var mı?"

"Neşeli demek. Allah hep güldürsün diye koymuşlar."

"Sahibine pek uygun bir isim," dedi az önceki halimi ima ederek.

Ah keşke, dedim içimden... Ah keşke, keşke, keşke... Bundan böyle hep gülsem, hep gülsek kardeşimle ben!

Kadına manasız gülme krizimi bağışlatmak için çok ilgileniyormuş gibi yaparak kocasının durumunu sordum. O bana Mr. Ashton'ın gidişatı hakkındaki bilgileri verirken telefonum çaldı. Defne, hastaneye doğru yola çıktığını bildiriyordu.

"Yeğenim aradı," dedim, "gelmek üzereymiş. Yukarı çıkayım ben."

"Güle güle Neşeli Hanım," dedi Mrs. Ashton, "yarın görüşürüz."

Odaya girdiğimde, Kayhan yüzünde kocaman bir gülümsemeyle beni bekliyordu.

"Hayrola Kaykay?"

"Derin telefonuma mesaj çekti. Al, oku."

Aldım elinden cep telefonunu, okudum: "Sevgili baba, ora saatiyle aksam 6-7 arası Skype'ta olacam. Optum."

"Haydi, gözün aydın," dedim.

"Herhalde çekim gücünün yeterli olduğu bir yere gidip arayacak bizi," dedi kardeşim, "onun ders verdiği köyde bu aletler çalışmıyor. Bu yüzden haberleşemiyoruz."

"İyi oldu işte. Ben de görmüş olurum onu."

"Özledim keratayı. Değişik bir çocuktur, ona içerlediğini biliyorum ama yakından tanısan çok seversin."

118

"Yakından tanımadan da seviyorum. Yeğenim o benim."

"Sen gücün yettiğince Defne'yi kolla, abla. Derin erkektir, kurtarır kendini."

"Hani olumsuz düşünce yoktu?! Başlarında sen hep olacaksın inşallah."

"İnşallah," dedi içini çekerek.

"İşte böyle!" dedim. "Sen ve ben, bir çift *survivor*'ız bu hayatta."

Defne yanımıza geldiğinde, biz iki kardeş, bu sefer İzmir günlerimizden değil, Nedim'den konuşuyorduk. Ben Nedim'in hayatına, karısına dair sorular soruyordum. Kayhan annemin ben evliyken aklım çelinmesin diye, boşandıktan sonra da üzülmemem için evde Nedim'in lafını yasakladığını anlatıyordu bana. Hatta bir keresinde, Nedim'i terk ettiğim için annemi suçlayan Oya'yı annem fena azarlamış, bir süre dargın kalmışlar. Bunların hiçbirinden haberim olmamıştı.

"Yine aynı konu mu konuşuluyor?" diye sordu Defne, bizi burun buruna görünce. "İzmir günleri üzerine çeşitlemeler mi?"

"Aynen! Hatıralarımız bizi mutlu ediyor," dedi babası.

Ona da yazın kaç kere anlatmıştık, rıhtımından denize atladığımız çocukluk evimizi, arka bahçede salıncağımızın asılı olduğu incir ağacını ve asmaların gölgelediği çardağı. Nerdeyse her bir köşesini biliyordu hiç görmediği evin.

"Baba, çok yakışıklı olmuşsun," dedi babasının tıraşlı yanağına bir öpücük kondurarak.

"Senin için kızım," dedi kardeşim.

Uzun zamandır hasret kaldığımız, güzel, mutlu bir gündü. Önce Defne'yle babasının, sonra benimle kardeşimin komik suratlar yaparak bir sürü resmimizi çektik. Telefonu yerleri paspaslayan çocuğun eline sıkıştırıp üçümüz birlikte de resim çektirdik.

"Baban niye bu kadar mutlu, biliyor musun Defne?" diye sordum sonra ben.

"Biliyorum. Derin arayacak da onun için," dedi Defne.

"Sen nereden biliyorsun? Sen mi söyledin aramasını?" diye sordu Kayhan.

"Hayır baba, Derin bana da haber verdi, o yüzden biliyorum," dedi Defne, "hepimiz bir arada olalım istiyor. Köyden şehir merkezine inecek bizimle konuşabilmek için."

Defne'nin abisine babasını aramasını söylediğinden emin olduğum için, içimden iyi diplomat olur bu kız diye geçirdim. Sonra ben baba kızı odada baş başa bırakıp dışarı çıktım ve kek, çikolata, kolonya gibi hediyelerle hoş tutmaya çalışıp durduğum başhemşireyi bulmaya gittim. Ziyaret saatimiz sona ermek üzereydi. Kadına bu akşam saat altıdan sonra, kardeşimin Katmandu'daki oğlunun Skype'tan arayacağını, tüm aile bir arada konuşabilelim diye biraz uzun kalmamıza izin vermesini rica edecektim. O kadar masum bir istekti ki, kabul göreceğine emindim.

Ama inatçı kadın, diretiyor, bize izin verirse, yarın diğer hasta yakınlarının da hakkının doğacağını söyleyip duruyordu.

"Bakın, yeğenim bu iletişimi kurabilmek için Katmandu saatiyle sabahın yedisinde bir postaneye gidip burayla bağ-

120

lanmaya çalışacak. Lütfen anlayış gösterin. On saat fark var arada. Biz uyurken orada sabah..."

"Bana bunları boşuna anlatmayın. Yapamam. Hastane kurallarını çiğneyemem."

"Sadece kızı kalsın. Ben giderim."

"Kızı da kalamaz. Altı oldu muydu, herkes dışarı!"

"Günleri sayılı bir hastadan bahsediyoruz burada," dedim.

"Bu koğuş, günleri sayılı hastaların koğuşu, bayan."

"O zaman hepimize anlayışlı davranmanız lazım."

"Hepinize eşit davranmam da lazım."

Allahım, inanamıyordum! Bunca ıvır zıvırı boşuna mı taşımıştım ben bu erkek ayakkabıları giyen yaşlı danaya! Son kez denemek istedim: "Bakın, kardeşim Skype'ı açmayı beceremeyebilir... Oğlunu ne zamandır görmüyordu... Belki de bu son sefer olacak..."

Bu arada bir zil çalıyordu hemşirelerin odasında.

"Kimse yok mu orada?" diye seslendi odaya doğru, başhemşire, sonra bana döndü, "hastanenin kuralları var, ben o kuralları bozamam," dedi.

"İnsaniyet diye de bir şey vardır, bazen lazım olur."

"Beni işimden alıkoyuyorsunuz, bayan. Lütfen ısrar etmeyin."

Kadınla konuşmanın boş olduğunu anladım. Başka bir çare düşünmeliydim. Ya doktorunu arayacaktım... Allah kahretsin, hepsi aynı bokun soyudur bunların, sırayla hepsine teker teker yalvaracağıma, belki Defne'yi Kayhan'ın tuvaletine saklayıp... Aaa! Birden, koridorun başından koşarak gelen Defne'yi gördüm... Telaş içindeydi... Yemek tepsilerini taşıyan adama toslar gibi oldu, düşecek sandım, ama toparladı.

"Babam... Babama bir şey oldu... Çabuk gelin. Zili çaldım ama kimse gelmedi... Çabuk olun!" diye bağırdı.

Hepimiz birden Kayhan'ın odasına doğru koşmaya başladık. Bu sırada genç bir hemşire de koşar adımlarla karşı yönden geliyordu.

Başhemşire, kollarını yana açarak heyula gibi dikildi Kayhan'ın oda kapısının önünde, "Siz dışarda kalın," dedi Defne'yle bana.

"Baba, baba!.." diye seslendi Defne. Aynı anda iki genç doktor daha bitti yanımızda. Başhemşire, Kayhan'a doğru eğilirken bir an için gördüm kardeşimi, başı göğsüne doğru düşmüştü... Doktorlar içeri girip kapattılar kapıyı yüzümüze. Defne ve ben dışarıda kaldık. Defne titriyordu.

"Ne oldu kızım? Ben yanınızdan ayrılalı en fazla on dakika olmuştur, ne oldu Allah aşkına?" dedim.

"Bilmiyorum ki hala! Çok iyiydi, konuşuyorduk, gülüyorduk, sonra birden başı önüne düşüverdi, hırlamaya başladı. Zile bastım. Sarılıp yastığına yaslamaya çalıştım babamı. Eliyle bir işaret yaptı bana, git der gibi. Kimse gelmeyince dışarı çıktım ki, birini çağırayım... Tam çıkarken hala, kapıda döndüm baktım babama, kan gelmişti ağzından. Ne oluyor hala? Babama ne oluyor hala?"

Kapının hemen dışında ayakta duruyorduk. Defne'nin başı göğsümdeydi. Sımsıkı sarılmıştım ona. Titriyordu. Benimse dizlerim çözülüyordu ve Allahım, diyordum içimden, bana güç ver, şuracığa yığılmayayım. Bu çocuk için bana güç ver.

"Gel, şu ötedeki bankoya oturalım, Defne," dedim.

"Babama yakın olalım. Bankoyu buraya taşıyalım mı?"

"Kimse görmeden. Çabuk ol."

Koştuk, tahta banko ağırdı ama bir dev gücü gelmiş gibi ikimize de, yakaladık iki ucundan, Kayhan'ın oda kapısının yakınına getirdik. Nefes nefese oturduk üstüne, sonra gülümsedik birbirimize ve bir işaret almış gibi aynı anda ağlamaya başladık.

Önümüzden tekerlekli bir aleti iterek koşar adım geçen hastane elemanını Kayhan'ın odasına girerken yakalayıp, "Neler oluyor. Biz çok yakınlarıyız. Bilgi versenize," diye bağırdım. Defne de peşimden geldi.

"Lütfen işime mani olmayın!" diye bizi itiştirip içeri girdi adam. Kapı açıldığında, doktorlarla hemşirelerin çevrelediği kardeşimi göremedim. Defne'yle yerimize döndük.

"Babam ölüyor mu?" diye sordu.

"Bilmiyorum."

"Beni öleceğini bildiğin için mi çağırdın buraya, bugün?"

"Tam tersine. O kadar iyiydi ki, sen de gördün işte... Hazır böyle iyiyken, seni de çağırayım da sevinesin istedim."

"Neden böyle oldu birdenbire?"

"Bilmiyorum güzelim. Panik yapma. Birazdan doktorlardan biri bir açıklama yapar herhalde. Belki yediği bir şey dokunmuştur."

"Sanki püreden başka bir şey yiyor da!" dedi.

Ne kadar zaman geçti, hiç bilmiyorum. Belki on dakika, belki de on saat. Defne'yle önce el ele oturuyorduk, ara sıra aramızda neden birden kötüleştiğine dair tahminler yaparak. Sonra sustuk. Hiç konuşmadan, omuz omuza yaslanıp durduk öylece. Daha sonra içimizden sessizce dua etmeye başladık. Kapının açıldığını duymadık bu yüzden.

Doktorların ve başhemşirenin, başım yere eğik olduğu için önce beyaz ayakkabılarını gördüm önümde. Tam karşımızda durmuşlardı. Başımı kaldırdım, yüzlerine baktım. Defne kolumu tutup sıktı. Konuşan, doktorlardan esmer olanıydı, "Elimizden geleni yaptık ama," dedi, "biliyorsunuz, beklenen bir durumdu."

"Yani?" dedi Defne.

"Hastamız x oldu."

"Hastayı kaybettik," dedi öteki doktor.

Ayağa kalktım, "Yanına girebilir miyiz?" dedim. Sonra başhemşireyle göz göze geldik, "Yanına girmek istiyoruz. Yanına gireceğiz. Bu bizim hakkımız!"

"Elbette girebilirsiniz," dedi esmer doktor, "size itiraz eden yok ki? Buyurun girin."

Defne odaya doğru birkaç adım attı, sonra dizlerinin üzerine yığıldı. Başhemşire ve esmer doktor yanına eğildiler. Ben onu doktorlara ve hemşirelere bırakıp, kardeşime veda etmek üzere odaya girdim. Yastıkları başının altından, serumları kollarından çekmişlerdi. Gözleri kapalıydı. İki aydır acıdan takallüs etmiş yüzü huzurluydu, hatta mutluydu. Eminim, Güzelyalı'daki evimizin rıhtımından denize atlamış, Karşıyaka'ya doğru kulaç atıyordu ben onun kemoterapiden saçsız kalmış çıplak başını okşarken.

Doğduğunda beni bir koltuğa oturtup kucağıma vermişlerdi kardeşimi. Başlığını çekip çıkartmış, kabak başını okşamıştım.

"Başına dokunma, bebeklerin başına dokunulmaz," demişti anneannem.

"O benim kardeşim. Ben dokunurum."

Okşamaya devam etmiştim, ama ona zarar gelmesin diye, tüy gibi yumuşacık dokunuşlarla. Şimdi yine, yeni doğmuş bir bebeği okşar gibi şefkatle okşuyordum kardeşimi, bunun ona son dokunuşum olduğunu bilerek. Yaşayamadığı güzellikler, hak etmediği mutsuzluklar için yüreğimde tarifsiz bir acıyla.

Defne odaya girince onu babasıyla yalnız bırakmak için çıktım ben.

Koridorda yerini değiştirdiğimiz bankoyu kaşla göz arasında yine eski yerine taşımışlardı. Ah, başhemşire, ah! Koridorun sonuna gittim, oturdum bankoya, Defne'nin babasıyla vedalaşmasının sona ermesini bekledim sabırla.

Eve döndüğümüzde saat on bire geliyordu. Defne'ye bir iğne yapmışlar, bir-iki saat kadar uyutmuşlardı hastanede. Sersemlemişti kız. Hiç konuşmuyordu. Eve girer girmez doğru odasına çıktı. Ben salondaki koltuğa yığılıp kalmışım. Neden sonra yanıma geldi, gözleri kıpkırmızıydı ama sakindi.

"Hala, Derin söz verdiği saatte tam beş kere aramış," dedi, "şimdi bizim onu geri aramamız lazım. Babam sapasağlamdı o Katmandu'ya giderken. Ona ne diyeceğiz şimdi biz?"

"Gerçeği söyleyeceğiz."

"Keşke daha önce söyleseydik çok hasta olduğunu."

"Baban, öğrendiği takdirde buraya gelmeye kalkışmasından korktu. Rahatı, huzuru bozulmasın istedi."

"Belki cenazeye gelmek ister."

"Ta oralardan sırf cenazede bulunsun diye... Bilmem ki."

"Onunla sen konuşur musun lütfen?"

"Olur ama istersen her şeyi açıklayan bir mail atalım önce."

" İyi fikir. Sen cenazeden sonra evine dönecek misin?"

"Sen mezun olduktan sonra seninle birlikte döneceğiz."

"Kalıyorsun yani benimle."

"Kalacağımı söylemiştim zaten sana."

Toparlandım yattığım yerden, Defne önce yanıma oturdu, sonra başını dizlerime koyup uzandı, uyuyakaldı. Uykusunda ara sıra iç geçiriyor, ara sıra ağlıyordu. Ben o uyanmasın diye kıpırdamadan oturuyordum, ayaklarımı önümdeki sehpaya uzatmış. Arada bir sevgiyle saçlarını okşuyordum. İçimden avaz avaz ağlamak geliyor, ama hıçkırıklar boğazımda takılıp kalıyordu. Ağlamak için vaktim yoktu. Önce Derin'e babasının vefat haberini verecektim. Sonra, sabah ilk iş cenaze işini halledecek, ardından Amerika'da kalma iznimi uzatacaktım. Kardeşimin işlerini de toparlamalıydım, varsa vasiyetini, bankadaki birikimini... Tanrım, ne çok işim vardı yapılması gereken. Ben ne zaman hakkını vererek yasını tutacaktım kardeşimin? Ben ne zaman doyasıya ağlayacaktım hayatımdan kopup gidene ki, iki yaşımdan beri bir parçamdı benim ve hiç bilmeden, bambaşka bir Handan yaratmaktaydı benden, Tanrı'nın bahşetmediği evladı bana armağan ederek.

Beni *anne* yapan kardeşime ne zaman ağlayacaktım ben?

ANNE OLMAK

Zormuş gerçekten! Anne olmak... Çok zormuş! Derin'in bizim evde geçen bir yılından dolayı, üç-dört saatte bir uyanıp meme isteyen, altını kirleten, sabahlara kadar ağlayan yeni doğmuş bir bebeği büyütmenin zorluklarını biliyordum.Oya'nın çocuklarından dolayı, okul çağına gelmiş olanların özel ders veya dershane masraflarından sınav korkularına kadar tüm eğitim sorunlarını, ortağımın kızından dolayı ise ergenlik çılgınlıklarını bildiğimi sanıyordum, ama ergenliği atlattığını düşündüğüm bir kızın bende yol açacağı endişeleri tahmin bile edemezdim.

Defne ile hayatımız, aslında babasını kaybettikten sonra fazla değişmemişti. Aynı rutini devam ettiriyorduk. Bir farkla ki, ölüm acısı bizi daha da yakınlaştırmıştı. Hafta sonları kardeşimin bize kalan Ford'una atlayıp markete gidiyor, evin ihtiyaçlarını alıyor, sonra da sahil boyunca kilometrelerce araba sürüyorduk, aramızda sürekli konuşarak. Eskiden hep hastalığın seyrini konuşurken şimdi her ikimiz de Kayhan'la olan güzel anılarımızdan söz eder olmuştuk. Ayrıca hemen hemen her akşam,yemekte başlayıp, yemek sonrasına uzanan bir terapi seansı yapıyorduk sanki. Onu anarken, yanımızdaymış gibi mutlu oluyorduk, ikimize de iyi geliyordu ondan söz etmek.

İlk haftalar her şey yolunda gitmişti. Defne okuldan sonra, arkadaşlarıyla takılmadan doğru evine geliyordu. O yaştaki kızın, özellikle de yetiştiği kültürde, yas tutmasını beklememiştim ama, o babasının ölümüyle öylesine sarsılmıştı ki, arkadaş eğlencelerine katılmak, gerçekten içinden gelmiyordu. Benim sinemaya veya tiyatroya gitme ya da bir restorana yemeğe çıkma tekliflerimi bile nazikçe ret ediyordu. Tam bir ev kedisi olmuştu.

Aslında mezuniyet yılı olduğu için bir yerde işime geliyordu bu hali. Hele okulu hayırlısıyla bitirsin, İstanbul'da gününü gün eder diyordum. İyi de kiminle edecekti? Memlekette tek bir arkadaşı dahi yoktu ki kızın. Oya'nın kendi yaşıtı çocuklarıyla kaynaşması için İzmir'e yerleşmeyi bile düşündüğüm oluyordu.

Hayatımız böyle, monoton bir huzurla akarken, Defne bir cumartesi akşamı, bir sınıf arkadaşının doğum günü partisine gideceğini haber verdi.

"Keşke dün söyleseydin," dedim, "gidip bir hediye alırdık."

"Biz okulda aramızda para toplayıp aldık bir şey.

"Gel, odana gidip elbiseni seçelim, o halde. Ne giyeceksin?"

"Blucin ve tişört."

"Doğum günü partisine? Ayıp olmasın!"

"Olmaz."

"Nerede bu parti? Arkadaşının evinde mi?"

"Bir kafede."

"Hangi kafe?"

"Hep gittiğimiz kafe işte. Sen bilmezsin. Biz seninle oraya hiç gitmedik."

"Adı yok mu?"

"Adını ne yapacaksın hala?" dedi, "sen de mi geleceksin yoksa?"

"Belki gelirim," dedim gülerek.

O gülmedi. Sinirine dokunmaya başladığımı fark ettiğim için üstelemedim.

"Yemeğimizi biraz erken mi yiyelim?" diye sordum.

"Neden?"

"Gençlerin partilerinde yemek bulunmaz da... Aç kalmamak için bir şeyler atıştır, öyle git."

"Cips, sandviç, kek filan vardır, merak etme."

"Tamam. Ne zaman hazır olursan, seni bırakayım o kafeye."

"Beni Jeff gelip alacak arabasıyla."

"Jeff kim?"

"Okuldan bir arkadaş."

"Dönüşün..."

"Jeff getirir."

"Jeff içki filan içmez umarım."

"Hala!!!"

Odasına çıktı, ben mutfak masasına hazırladığım ikinci servisi kaldırdım, ızgaraya yerleştirdiğim bonfilelerden birini folyoya sarıp gerisin geriye buzluğa yerleştirdim. Yüreğimde, sanki sevgilim son anda akşam yemeğine gelemeyeceğini haber vermiş gibi, çok tanıdık ve çok buruk bir sıkıntıyla dolanıp durdum mutfakla oturma odasının arasında. Az sonra Defne üzerinde dizleri lime lime bir blucin ve siyah bir bluzla çıkageldi. Her zamanki at kuyruğunu çözmüş, saçlarını omuzlarına dökmüştü ve dudaklarına ruj, kirpiklerine rimel sürmüştü. Bakakaldım karşımdaki yeni Defne'ye. Ben şaşkınlığımı yenmeye çalışırken dışarda bir araba kornası üst üste öttü.

"Jeff geldi," diyerek pencereye koştu kız, birine el salladı.

"Bu Jeff... erkek arkadaşın mı?"

"Sadece arkadaşım!"

"Kaçta dönersin?"

"Bilmiyorum hala."

"Geç kalma emi!"

"Okey!"

"On ikide evde ol!"

Deri ceketini kaptı kapının yanındaki dolaptan, bana eliyle bir öpücük yolladı, çıktı.

"On ikiden geç kalma sakın... Hey! Duydun mu beni?"

Uçtu, gitti Defne. Beni duydu mu, duymadı mı, bilmiyordum. Duyduysa sözümü dinler mi, onu da bilmiyordum. Dinlemeyecek olursa, ne yapacağımı, nasıl bir tavır koyacağımı hele, hiç bilmiyordum.

Miami'ye geldiğimden beri, kardeşimin öldüğü gece dahil, kendimi hiç bu kadar yapayalnız hissetmemiştim. Televizyon kanallarında sürükleyici bir film aradım, buldum, koca bir kâse mısır patlağını yanıma koyup ayaklarımı önümdeki pufa uzattım. Ah nasıl ihtiyacım vardı sigara içmeye. Kardeşime söz vermemiş olaydım, şimdi yanımda sigara paketimle çakmağım da olurdu. Bu film bitince bir başka film bulurdum, ikincisi bitene kadar da nasılsa dönerdi eve Defne.

Birinci film bittiğinde mısır patlakları, ikincisi bittiğinde sabrım tükenmişti. Saat on ikiyi çeyrek geçiyordu ve Defne meydanda yoktu. Cebini aramadan önce yarıma kadar beklemeye karar verdim. Mutfakta oyalandım, masaya ertesi sabahın kahvaltı sofrasını serdim. Pencereye kadar gidip üç kere sokağa baktım. Saat yarım oldu. Evin bütün odalarında bir gezintiye çıktım. Bire çeyrek kala Defne'nin telefonunu çaldırdım. Çaldı, çaldı çaldı, açılmadı. Odama gidip soyundum. Mutfağa gidip kendime bir bardak süt hazırladım. Bir daha çaldırdım telefonu. Çaldı, çaldı, çaldı, açılmadı. Sütü buzdolabına geri koyup, bir kadeh şarap doldurdum bu sefer. Salonda sokağı gören pencerenin önüne bir iskemle çektim, odanın ışığını kapattım, şarabımı yanıma alıp perdenin gerisinden caddeyi gözleyerek oturdum.

✦✦✦

Aklıma uzun zamandır hiç düşünmemiş olduğum İlhami geldi. Bir sabah, işyerine sarhoş gibi gelmişti. Gözleri hiç uyumamış gibi bakıyordu, huysuzdu, yorgundu. "Hayrola, bu ne hal ortak," demiştim, "feneri nerede söndürdün dün gece?"

"Pencerenin önünde, tül perdenin gerisinde söndürdüm."

"Neden?"

"Benim kız yine sorti yaptı dün gece!"

Anlayamadım ne demek istediğini. Bizim uçaklar sorti yaparlardı ya bayram gösterilerinde, gülerek sordum:

"Uçtu mu yani?"

"Uçtu! Hem de ne uçmak, ta sabahın dördüne kadar. Bütün kabahat bende aslında. Kızım tatile geldiğinde, kavalyelik etsin diye ona bizim Bora'yı tanıştıran bendim. Meheldir bana! Şimdi onun sayesinde bir arkadaş grubu edindi, çıkıyorlar, sabaha kadar bu disko, şu bar, geziyorlar. Bar dedimse, türkü bar mı, neymiş, müzik yapılıyormuş. Bizim zamanımızda dans edilirdi, bunlar elde bardaklar, durdukları yerde sallanıyorlar, dervişler gibi! Derya eve dönene kadar gözüme uyku girmiyor. Pencereye git-gel, tülün ardından kendini göstermeden sokağı gözetle... İmanım gevredi."

"Niye tülün ardından?"

"Karizmayı çizdirmemek için. Beklediğini bilirse, olmaz. Bunlara bir şey de söylenmiyor, ha! En iyisi yüz göz olmamak."

"Annesi ne diyor bu işe?"

"Allahtan Eda'nın haberi yok. O uyku ilacını yutup mışıl mışıl uyuyor."

Hiç ama hiç hak vermemiştim İlhami'ye. Benim kızım olsa, alırdım karşıma, bir saat saptardım, o saatte gelmediyse bir daha gece gezmesi yok! İşte bu kadar!

Ah, ne budalaymışım, ne bilgisizmişim İlhami'yi kınarken. Işığı kapatmam, perdenin arkasına saklanmam, hep

Defne, onu merak içinde beklediğim bilmesin diyeydi. Bilmesin de, aramızda, sakın ola ki, bir tartışma filan çıkmasın. İdare edemeyeceğim bir durumun içinde bulmayayım kendimi. Elim sabahlığımın cebine koyduğum cep telefonuna gidiyordu iki de bir, kendimi tutuyordum. Bu kız, bu anası kılıklı Defne, hele sağ salim bir dönsün eve, ben gösterecektim ona! Kardeşini yeni kaybetmiş bir insana yapılacak şey miydi bu?! Yarın ilk iş münasip bir saatte Oya'yı aramalıydım. Onun Defne'yle yaşıt çocuklar vardı madem, ona danışırdım. Evet, orası İzmir, burası Miami'ydi ama bu iletişim zımbırtıları yüzünden yaşam tarzları da, kültürler de iç içe girmiş değil miydi? Bu gençlerin hepsi aynı kıyafetleri giyiyorlar, aynı şarkıları dinliyorlar, aynı dergileri okuyorlardı. Birbirlerinden besleniyorlardı.

Ah, nihayet! Bir araba durdu evin önünde. Onu camda beklediğimi görmesin diye koşturarak odama girdim, kapıyı azıcık araladım, bekledim. Ne gelen vardı ne giden. Çıktım odamdan, mutfakta bir bardak şarap daha koydum kendime, oturma odasındaki eski yerime yollandım, oturdum sandalyeye, gözlerim yolda, bekledim.

"Aaa, hala, iskemlenin üzerinde mi uyuyorsun?!"

Açtım gözlerimi. Defne tepemde! Üstüme mi işemiştim ne, üstüm ıslak. Aa, uyuyakalınca şarap kadehi kucağıma devrilmiş, şarabı geceliğime dökmüşüm!

"Saat kaç?" diye sordum.

"Biraz geç kaldım, değil mi?"

"Saat kaç Defne?"

"Üç."

"Bu saate kadar ne yaptın, kızım?"

"Dans ettim, şarkı söyledim, eğlendim."

"Senin yaşındakilerin bu saate kadar kafelerde gezmesi yasak değil mi bu ülkede?"

"Kafede değildim. Saat on ikiden sonra doğum gününü kutladığımız arkadaşın evine gittik."

"Annesi babası evde miydi?"

"Hayır."

"Çocuklarının doğum gününe katılmadılar mı yani?"

"Katılmadılar."

"Neden?"

"Arkadaşımın babası yok."

"Nasıl yok?"

"Gitmiş hala. Benim annem nasıl gittiyse, öyle. Annesi de gece çalışıyormuş, ta sabaha kadar."

"Bir kadın sabaha kadar ne iş yapar, pek merak ettim."

"Hastabakıcılık yapıyor. Hala, haydi git yatağına yat, yarın konuşalım. Şu anda çok uykum var," dedi Defne.

İçimden gelen, ona, iyi misin, aç mısın, bir şeye ihtiyacın var mı, bu saate kadar ne yaptın, içki mi içtin, bir şeyler mi çektin, yoksa Jeff denen o oğlanla mı seviştin, her ne yaptınsa benimle paylaşmak istemez misin diye sormaktı ama hiçbir şey diyemeden kalktım yerimden. Her tarafım tutulmuştu. Zorlukla yatak odama yürüdüm. Islak geceliğimi değiştirdim ve yatağa girdim.

Başucumdaki saat dördü çeyrek geçiyordu. Bana saat üç diye yalan söylemiş demek ki! İçimde tuhaf bir acıyla ışığı söndürdüm ve kendimi çok ama çok çaresiz hissettim.

Tahminimden çok daha zordu annelik!..

HANDAN

"Vah canım, vah! Annelik zordur ama sen de kendine acımakta pek mahirsin. Hatta üstüne yok diyebilirim. Beni bile geçtin açıkçası."

Bu hafif boğuk ses, onun sesi! Tanrım, o burada! Bunca zamandır benimleymiş! Hızla odayı tarıyor gözlerim. Daha önce oturduğu koltukta bacak bacak üstüne atmış, oturuyor. Üzerinde Refik Cemal'in ona umutsuzca âşık olduğunu anladığı gün giydiği dar kesimli, lacivert elbise var bu sefer.

"Odamda ne arıyorsun *Handan?* Gitmemiş miydin sen?"

"Yoo! Niye gideyim ki, seni dinliyordum."

"Hava aydınlanınca görünmez oldun, gittiğini sanmıştım."

"Ben tıpkı ay gibiyim Handan. Gündüz ayı göremezsin ama o hep gökyüzündedir."

"Orada olduğunu bileydim, yüksek sesle anlatırdım, masal anlatır gibi."

"Seni duymam için konuşman şart değil ki."

"Madem okuyorsun düşüncelerimi, sana inanmadığımı da okumuşsundur."

Parmağını sallıyor bana, yüzünde muzip bir gülümsemeyle:

"İçinden inanmak geliyor ama inanmamak için zorluyorsun kendini."

Doğru söylüyor aslında.

"Elbiseni değiştirmişsin," diyorum.

"Duruma uygun bir kıyafet giydim. Senin son anlattıklarını, hatta anlatacaklarını tüller içinde dinlemem pek yakışık almazdı."

"Bu elbiseyi sen, Refik Cemal'in sana âşık olduğunu anladığı gün giyiyordun, değil mi?"

"O gün, aslında benim ona âşık olduğumu anladığım gündür. Asla sevmemem gereken kişiye, bana kardeşlerimden de yakın biricik Nerimanımın kocasına olan derin aşkımı fark ettiğim gün! Ah Handan, bu lacivert elbise, o gün ruhumu ele geçiren elemin rengini taşıyor. Koyu, karanlık, yıldızsız bir gecenin rengi. Sen bana mücadeleni anlatırken üzerimde bu esvap bulunsun istedim."

"Biliyor musun, ben de en zorlu savaşımı kardeşimin hastalığı ve ölümü sırasında verdiğimi sanıyordum... Ne büyük yanılgıymış!"

"Biliyorum elbette, ölüme çare yok ama ölümden beter durumlar olabilir. Handan, kardeşini bırak da, şimdi sen bana, seni bu odaya getiren hadiseyi anlat."

"Biliyorsan niye anlattırıyorsun?"

"Sana daha önce de söyledim ya, içini boşaltmak iyi gelir. Ne demiş Freud, yaşadıklarıyla yüzleşebilmek, ruh tedavisinin birinci adımıdır."

"Freud'un savları çoktan aşıldı."

"Sav ne demek anlayamadım ama ben ancak, kendi zamanımın hakikat ve malumatını bilirim. Sana kendi bildiklerimle yardım etmeye çalışıyorum."

"Neden ama? Sen bir iyilik meleği değilsin ki!"

"Kendimi senden mesul hissettiğim için. Benim yüzümden taşımıyor musun *Handan* adını?"

"Adımın sorumlusu babaannem. O düşünsün."

"O öldü. Bense, romanımın sayfalarında hâlâ yaşıyorum. Bak, daha dün gece, sen yine sabaha kadar beni okudun. Benimle münakaşayı bırak ve bana itimat et. Birlikte belki bir çare buluruz."

Ne umutsuz bir halde olmalıydım ki, bana bir ruh bile değil, bir sanal kişi, bir roman karakteri yardıma kalkışıyordu! Roman kaçağı, kendine yararı dokunmamış *Handan*, yardımcı olacaktı bana! Oysa, bana Allah'tan başka kimse yardım edemezdi, çünkü ne hukuk kalmıştı yaşadığım ülkede, ne özgürlük ne de vicdan! İtiraz etmeye kalkan yiyordu gazı. Dilini, kalemini tutamayan, pankart açan tutuklanıyordu. Anlatsam, anlayamaz ki!

"Beni küçümsemekle, biçare zannetmekle hata ediyorsun Handan," dedi düşüncelerimi okuyarak. "Halide Edib'in, senin birkaç gece boyunca o meydanda verdiğin mücadelenin bin mislini başka meydanlarda verdiğinden haberin var mı? Sen sokaklarda koşuşturmuş, polislerle dalaşmış olabilirsin, o hakiki savaş cephelerinde sahici düşmanla savaştı, bunu biliyor muydun?"

"Elbette."

"Dahası da var! Seni erkeklerle müsavi kılan şu hürriyetin var ya, arabana atlayıp memleketin bir başka köşesine gidebilme, bir otelde tek başına oda tutabilme hürriyetin, işte bütün bu hürriyetlerin kazanılmasında payı var beni yaratan kadının kaleminin."

"Bu saydıklarını ben, sadece Cumhuriyet devrimlerine borçluyum."

"Cumhuriyet'i kuranları fikren kim besledi zannediyorsun? Kadının şahsiyet kazanması, önce ince ince romanlarda, makalelerde işlendi. Misal istiyorsan, işte ben! Ben, modern kadının en güçlü sembollerinden biriyim. Hatta daha fazlasıyım, Osmanlı camiasının parçalanmış ruhunun temsil ediyorum. Halide Edib o günün münevverlerinin kafa karışıklığını anlatmak için, beni kullandı."

"Daha neler!"

"Bak, anlatayım sana. Benim yaşadığım günlerde, Osmanlı entelektüelleri, gelenekçi mi, ilerici mi, hümanist mi, realist mi, İslamcı mı, Batıcı mı, yoksa Türkçü mü olsunlar, ne istediklerini bilemedikleri bir ruh hali içindeydiler. Kafaları karışıktı, tıpkı benim gibi."

İçimden, bugünün aydınlarından pek bir farkları yokmuş, demek geçti bir an ama *Handan* günümüz siyasetiyle değil, sadece benimle ve kendiyle ilgileniyordu.

"Sen siyasi karasızlıklar içinde değildin ki, *Handan*," dedim, "sadece kime âşık olduğun konusunda karışıktı senin kafan."

"Benim âşık olduğum üç erkek, birer semboldür aslında. İlk aşkım Nâzım, kadında karakter ve zekâ arayan Batılı erkeği, sefil kocam Hüsnü Paşa ise, kadını sadece cinsel bir nesne olarak telakki eden Osmanlı erkeğini temsil eder. Ama kollarında öldüğüm yasak aşkım, bendeki zekâyı, ruhu ve kadınlığı aynı anda görebilen tek kişi oldu."

"Bu yüzden mi en çok onu sevdin?"

"Muhakkak. Nâzım, beni zeki ve münevver bir insan olduğum için idealine ortak etmek istemiş, kadınlığımı fark etmemişti. Oysa Refik Celal, benim hissiyatımı ve ihtiyaçlarımı birlikte görerek, beni bütün hasletlerim ve zaaflarımla sevdi."

"Zaaflarını da kabul ediyorsun yani?"

"Elbette. Sen de tıpkı bana benziyorsun. Modern bir kadınsın, akıllı, tahsilli ve çalışkansın, buna rağmen cinsel ihtiyacının ve öfkenin esiri olabiliyorsun. Ama bir başka hasletin mevcut ki, takdire şayan!"

"Neymiş o?"

"Benim neslimin kadınlarına has bir aile mefhumun var. Kardeşin için kendini paralıyorsun, yeğenine sahip çıkıyorsun. Bu yüzden, sayfalardan fırlayıp karşına geliyor, sana yardım etmeye çalışıyorum."

"Sen bana yardım edemezsin, geçmişte kalmışsın sen."

"Ben zamanın ve mekânın dışındayım. Bu beni senden güçlü kılıyor."

"Yok canım?"

"Senin gözünde aciz ve zavallıyım. Hatta günahkârım. Benim günah işlememek için ölümü seçtiğimi dahi takdir edemiyorsun. Ölümü seçmek, kolay değildir. Ehemmiyetimi de anlayamadın, ayrıca. Beni hep aşk için yaratılmış bir kadın olarak telakki ettin. Oysa romanda bana âşık olan çoğu erkek, güzelliğime, dişiliğime değil, bilgime, zekâma ve tarzıma kapıldılar. Beni, Osmanlı kadınlarını malumatlı ve şahsiyet sahibi olmaya heveslendirmek için yaratmıştı, Halide Edib. Ama Refik Cemal'e hissettiğim aşk, yazarımın niyetini aştı, romandaki her şeyi gölgede bıraktı. Neden, biliyor musun? Çünkü aşk, insana en büyük tuzaktır, her şeyin önüne geçer."

"Her zaman değil, *Handan*. Mesela, benim hayatımda şu anda aşktan çok daha önemli bir şey var. Sen, aşkı aşan bu duyguyu anlamayabilirsin, çünkü anneliği hiç tatmadın."

"Sen de tatmadın. Çocuğun yok ki senin."

"Artık var. Bir çocuğa bağlanmak için onu doğurmanın şart olmadığını bileydim, bunca yılımı boşuna harcamazdım. Ölen kardeşimin kızı, bana anneliğin ne olduğunu öğretti."

"Anneliğin yanı sıra başka vazifelerinin de olacağını unutma lütfen. Kadınlara çok işin düştüğü bir zaman dilimindeyiz yine."

"Şu anda benim birinci görevim, Defne'yi selamete çıkarmak."

"Ona, layık olduğu şartları temin etmek de sana düşüyor. Bu ülkede yaşayacaksa, erkeklerle müsavi olacağı kanunların her daim baki kalması için elinden geleni yapmalısın... İçimden bir ses, çok yanlışlar yapıldığı için tarihin yakında yine tekerrür edeceğini söylüyor. Tarih hep tekerrür eder adaşım, çünkü insanoğlu asla ders almaz!"

"Defne hayırlısıyla önce özgürlüğüne kavuşsun da, nerede ve nasıl yaşayacağımıza biz sonra karar veririz aramızda."

Handan, uzun lacivert eteğinin telasını hışırdatarak dolaşıyordu odada. Birden durdu, "Serbest değil mi şu anda?" diye sordu, "hapiste mi yoksa?"

Yutkundum, "Hapiste değil. Sadece göz altında. Duruşmayı... Ay pardon, duruşmayı bilemezsin tabii... mahkemeye çıkmasını bekliyoruz. Mahkemede serbest kalacak, çünkü hiçbir suçu yok."

"Çok emin olma. Siyasi mahkemelerde adalet olmaz."

"Küçücük bir kızın siyasetle ne ilgisi olur ki? Bir yanlışlığa kurban gitti, hepsi bu. Mahkemeye çıktığı an masumiyeti anlaşılacak."

Handan'la göz göze geldik. Tuhaf ışıklı büyük gözlerinde müthiş bir endişe gördüm.

"İnan bana, doğru söylüyorum," dedim, "onu sırf o anda tesadüfen Taksim'de olduğu için tutuklayacak değiller ya! Vicdan diye bir şey var... Mantık var... İnsanlık ölmedi ya! Niye öyle şaşkın gözlerle bakıyorsun, inanmıyor musun söylediklerime?"

"Gencecik bir kızı durup dururken niye tevkif etsinler?"

"Her şeyi anlatacağım ama etrafımda fır fır dolaşıp durma öyle, aklım dağılıyor. Lütfen git, koltuğuna otur."

"Çok sinirlisin. Asabiyetin hiçbir meseleyi çözmediğini ben tecrübeyle öğrendim, biraz sakin ol."

Gitti, yatağın karşısındaki hasır koltuğa oturdu, yine bacak bacak üstüne attı. Bu kez ben dolaşmaya başladım küçük odada. Defne'yle başımıza gelenleri, sakin kalarak anlatabilmeme imkân yoktu çünkü.

"Şimdi de sen benim etrafımda fır fır dolaşarak nakledeceksin hikâyeni, öyle mi?" diye sorunca birden tepem attı.

"Başıma gelenleri bilseydin, neden böyle asabi olduğumu anlardın. Şu son günlerde yaşadıklarımı anlatırken sakin olamam. İnan bana, çıldırmak üzereyim, *Handan*."

Boynunu büktü, "Tamam, sinirlenme, hemşire. Nasıl istiyorsan öyle anlat," dedi, "seni dinliyorum."

GÜZEL BİR BAŞLANGIÇ

Defne'nin diploma töreni için mayıs ayının son haftasını bekledik. Her ikimiz için de hem mutlu hem buruk bir gündü. Defne, tarihi aylar öncesinden belli olan mezuniyet törenine, ağabeyinin katılacağını hep umut etmişti. Onunla konuşmaya, dertleşmeye, omzunda ağlamaya ihtiyacı vardı. Daha da önemlisi, hayatının bundan sonraki akışına karar verirken ona da danışmak istiyordu. Kimsesiz kalan iki kardeşin birbirlerine sımsıkı sarılmalarından daha doğal ne olabilirdi ki? Hatta Derin, Katmandu'ya geri dönecekse, onunla birlikte gitmeyi dahi göze almıştı. Bana, kalbimi kırmayı göze alarak, İstanbul'a gelip gelmemeye ancak Derin'le konuştuktan sonra karar vereceğini söylemişti. Defne'yi zorlamanın boşuna olacağını bildiğimden kardeşime verdiğim sözü ya tutamazsam diye endişe içindeydim.

Defne'nin beklentileri de benim endişelerim de boş çıktı. Derin gelmedi, kardeşine mezuniyet töreninden bir gün önce, bir kutlama mesajı yollamakla yetindi. Ben o gün mutfakta akşam yemeğimizi hazırlarken, Defne önünde bilgisayarıyla mutfak masasında oturuyordu.

"Derin'den mesaj geldi," diye bağırdı heyecanla. Islak ellerimi önlüğüme kurulayıp döndüm ve gözlerindeki neşenin bir anda hüzne dönüşüne şahit oldum.

"Gelmiyor... Gelmeyecekmiş!"

"Nasıl gelsin çocuğum? Katmandu çok uzak, belli ki parası yetişmiyor."

"Akşamüstleri çalışıyordu hani?"

"Al sana geçerli bir neden daha. Çalışıyorsa nasıl gelsin? İzin alamamıştır."

"Belki gelirim, demişti. Biz ne zaman görüşeceğiz bir daha?"

"Hayat uzun Defne. Belki Noel tatilinde, inşallah."

"Sırayla çekip gittiler hayatımdan. Kimse beni düşünmedi, hala."

"Seni ben düşünüyorum Defne. Ben seni hiç yalnız bırakmayacağım."

Gözlerinde, sen de kimsin ki, diyen bir ifade yakaladım.

"Ben annen, baban ve kardeşinden sonraki en yakınınım. Üstelik tıpkı senin gibi kimsesizim bu hayatta. Çocuğum yok. Annem, babam ve kardeşim öldüler. Yapayalnızım."

"Ben varım ya işte, hala. Senin başına kaldım ben."

"O nasıl laf! Ben hep bir kızım olsun istemiştim. Biraz evlenme teklifi gibi olacak ama (abartılı bir şekilde diz çöktüm önünde, ona elimi uzattım) benim kızım olur musun?" Yüzüme bu kez, başka bir çarem var mı dercesine baktı, uzattığım eli tuttu ve "Teklifini kabul ediyorum," dedi. Sonra çok normal bir şey yapmışız gibi, bilgisayarını kapattı, kalktı masadan, "Acıkmadım hala," dedi, "bu akşam yemesem olur mu?"

"Yarın için heyecanlısın da ondan. Haydi git odana, erken yat, dinlen," dedim.

Defne, elinde bilgisayarı, odasına giderken arkasından baktım, sabrıma hayret ederek. Ben o kadar uğraşıp yemek hazırlayacağım, onu memnun etmek için elimden geleni yapacağım, Allah'ın cezası kardeşi gelemiyor diye, hazırladığım yemeğin tadına bile bakmadan çekip odasına gidecek ve ben ona terslenceğime anlayış göstereceğim!

"Ey büyük Allahım," dedim, "hali vakti yerinde olmayan ailelere yeni bir çocuk yolladığında, çocuğun rızkını da verdiğine inanırız ya biz Türkler, demek ki bana da bu kızla birlikte evliya sabrı ihsan eyledin. Çok teşekkür ederim. Çok minnettarım sana."

Hayatına yeni katılmış bir halanın, ne annenin ne de kardeşin yerini tutmayacağını bilmeme rağmen, ertesi gün törende Defne'nin hayal kırıklığını tamir için yine elimden geleni yapmıştım. Diplomasını alırken tüm diğer annelerle birlikte ağlamış, içine babasının resmini yerleştirdiğim yürek şeklinde bir altın madalyonu mezuniyet armağanı olarak boynuna takmış, üstüne bir de, tören akşamı verilen partiden ne kadar geç gelirse gelsin asla dırdır etmemek üzere şartlamıştım kendimi. Allahtan Defne çabalarımın farkındaydı. Hayatının ilk önemli gününde sayemde yapayalnız kalmamıştı. Diplomasını alırken onun için de yürekten sevinen, onu çılgınca alkışlayan ve sevinç gözyaşları döken biri vardı. Diğer çocuklar annelerine babalarına sarılırlarken o da benim kollarıma atılmıştı. Sımsıkı bağrıma basmıştım onu.

Sonra taşınma telaşımız başladı...

Defne Türkiye'ye uyum sağlayamadığı takdirde geri dönersek ev sıkıntısı çekmeyelim diye, Miami'deki evi hemen kapatmayacaktık. Her şey yolunda giderse, elbette Derin'in de fikrini alıp Noel'den sonra karar verecektik evi ne yapacağımıza.

Derin'in şahsi eşyalarını Defne'nin odasına taşıyıp bu odayı kilitledik ve evi altı ay için kiraya verilmek üzere bir ajansa devrettik. Uçakta yerlerimiz çoktan ayrılmıştı. Valizlerimizi hazırladık ve 30 Mayıs akşamı İstanbul'a kalkacak uçağı yakalamak üzere Miami'den New York'a hareket ettik.

İstanbul'daki ilk algılarının çok olumlu olmasını istediğim için Defne'yi nerdeyse bir yıldır kapalı duran, tozlu ve havasız evime götüreceğime, hayatın hızlı aktığı, her zaman hareketli ve her yere ulaşımı olan Taksim'de, güzel bir otele götürmeyi tercih etmiştim. Ben evi temizletirken o birkaç gün otelde kalırdı, civarda dolaşır, alışveriş eder, sinemaya giderdi. Birkaç gün sonra, havalandırılmış, pırıl pırıl edilmiş, vazolarına çiçekler konmuş bir eve sokardım onu. Hatta o birkaç gün içinde ona çabucak bir genç kız odası hazırlamayı bile hayal ediyordum. Hayırlısıyla evimize yerleştikten sonra, sıra üniversite meselesini halletmeye gelirdi.

Uçakta o yeni bir hayata başlıyor olmanın, ben de ona şehrimi sevdirmenin, onu mutlu etmenin heyecanı içindeydik. Defne'ye evde yapacağım değişiklikleri anlattım. Misafir yatak odasını onun için hazırlayacaktım. Acaba en sevdiği renk hangisiydi? Perdelerini çiçekli mi, düz mü tercih ederdi? Belki halısını duvardan duvara isterdi, o zaman şu anda yerde serili kilimleri hemen kaldırırdım. Yoksa parke bir zemin mi tercih ederdi? Beni dinlerken gülümsüyordu.

"Telaşlanma hala," dedi, "İstanbul'u da, yeni evimi de seveceğim. Söz! Ama şimdi bırak beni de şu filmi seyredeyim."

İstanbul'un üzerinde alçalmaya başladığımızda, seyrettiği film çoktan bitmişti, uyukluyordu, Defne. Koluna hafifçe dokunmamla sıçrayarak uyandı.

"Muhteşem bir manzarası vardır bu şehrin. İstersen seyret, kaçırma," dedim.

Kaykıldığı koltukta toparlandı, dik oturup pencereden dışarı baktı, "Merhaba İstanbul," dedi İngilizce, "Seni seveceğim, ama sen de bana iyi davran."

Sesimi erkek sesi gibi kalınlaştırıp ben de İngilizce, "Hoş geldin güzel kız, sana iyi davranacağımdan hiç şüphen olmasın," dedim. Yan koltukta oturan adam, başını çevirip şaşkın gözlerle bize baktı. Defne'yle göz göze gelip kıkırdadık. Güzel bir başlangıç yapıyorduk yeni hayatımıza. Çok güzel, keyifli bir başlangıç yapıyorduk.

İSTANBUL'DA İLK GECE

Gezi Parkı'nın karşısına düşen sokakların birindeki otelimize girdiğimizde, henüz öğlen olmamıştı. Çift yataklı ayırttığım odada tek bir büyük yatak bulunca telefona gittim doğruca. Resepsiyondaki memur iki yataklı odaların henüz hazır olmadığını, yol yorgunu olduğumuz için bize hazır odalardan birini verdiğini söyledi. İlla iki ayrı yatak istiyorsak, saat bire kadar lobide bekleyebilirdik. O kadar yorgunduk ki, Defne de ben de pes ettik ve yan yana uzandık odamızdaki yatağa. Beden saatlerimiz Amerika kıtasına ayarlı olduğu için sızıp kalmışız. Uyandığımızda saat dörde geliyordu. Ayılmak için duş aldık, üzerimizi değiştirdik ve bir şeyler yemek üzere dışarı çıktık.

Güneşli, ışıklı, çok güzel bir mayıs sabahıydı. İstiklal Caddesi'nden aşağı sağa sola bakınarak, dükkânlara gire çıka yürüdük, ta Tünel'e kadar. Tünel'den bindiğimiz tramvayla Taksim'e geri dönerken, ben Narmanlı Han, Mısır Apartmanı, eski postane binası ve Galatasaray Lisesi gibi, bence önemli yerleri Defne'ye göstermeye çalışmama rağmen ilgisini çektiğimi pek zannetmiyorum.

Taksim'e vardığımızda acıkmıştık. Meydandaki bistroya girip bir şeyler atıştırdık. Defne aşina olduğu hamburger çeşitlerini, pizza ve salata seçeneklerini görünce memnun oldu ama tavsiyem üzerine, bağrına taş basıp yoğurtlu mantı yedi. Ona Türk mutfağını tanıtıp sevdirmek istiyordum. Kız döke saça mantısını yerken, bir yandan da düşünmeden edemedim, yabancıların yemeklerimizi illa beğenmelerini istememizin nedeni, onları memnun etmek miydi, yoksa sevdiğimiz tatlara onay almak mı?

Defne dondurmasını da bitirince hesabı ödeyip kalktık.

"Gel parkın içinden geçelim," dedim, "parkın diğer ucundan, bizim otelin tam karşısına çıkacağız. Aman Defne, caddeyi geçerken dikkatli ol, ışıklara da yola da mutlaka bak canım. Bu şehirde direksiyonda çoğu zaman canavarlar oturur."

Merdivenleri çıkıp parka girdik, yürüdük. Az ileride bir kaynaşma vardı. Biri konuşma mı yapıyordu ne, küçük bir kalabalık toplanmıştı. Onlara doğru gittik. Konuşma yapan adamı sanki gözüm bir yerlerden ısırıyordu ama tam çıkaramıyordum. Kalabalığın içinde, bir genç kıza, "Hayrola, bir miting mi var?" diye sordum.

"Protesto var," dedi.

"Neyi protesto ediyorsunuz?"

149

"Ağaç kesimini." Eliyle az ileriyi işaret etti. Gösterdiği yere baktım, birkaç tane ağaç, kökleri havaya dikilmiş, yatıyorlardı yerde.

"Parkı mı söküyorlar."

"Evet. Alışveriş merkezi yapacaklarmış."

"Daha neler!"

"Haberiniz yok muydu?"

"Yoo."

"Siz ayda mı yaşıyorsunuz?" diye sordu kız.

"Biz Amerika'dan bugün döndük yeğenimle." Başımla Defne'yi işaret ettim.

"Merhaba," dedi kız Defne'ye.

"Ne oluyormuş?" diye sordu Defne, aksanlı Türkçesiyle.

"Amerikalı mısınız?"

"Türküm ama Türkçem biraz bozuk, çünkü orada doğdum büyüdüm. Babamla konuştuğum kadar işte... Az var bende Türkçe."

"Biz burada ağaçları koruyoruz. Kesiyorlar da..."

Birden ilgilendi Defne, "Kim kesiyor?" diye sordu. "Çok kötü bir şey ağaç kesmek."

"Belediye, işte. Buraya AVM yapacaklarmış."

"Belediye nedir?" diye sordu Defne. Ona belediye ile AVM'nin İngilizcelerini söyledim.

"Ben kaçayım," dedi kız, "çadırların kurulmasına yardım edeceğim (eliyle ilerde çadır kuran gençleri işaret etti). Adın neydi senin?"

"Defne. Kamp mı dikiyorsunuz burada?"

"Çadır mı kuruyorsunuz denir," dedim ben.

"Evet," dedi kız, "Gece nöbeti için. Ağaçları gece gelip kesiyorlar çünkü. Şu gördüklerinizi dün gece saat on buçuk sularında hallettiler."

"Çok yazık. Ben okulda naturayı protection society'e üyeydim de..."

"Doğayı Koruma Derneği demek istiyor," dedim.

"İstersen gel katıl bize, sekizden sonra müzik de yapacağız arkadaşlarla. Gitarın filan varsa, kap gel," dedi kız, "benim adım Belgin."

"Gelirim," dedi Defne sevinçle. Kızlar el sıkıştılar.

"Gidemezsin Defne. Yorgunsun," dedim.

Belgin, döndü arkasını, gitti. Biz biraz daha dolandık oralarda, parkın ucuna kadar yürüyüp çıktık, caddeyi geçtik, otelimize yollandık. Defne hiç konuşmadan yürüyordu yanımda ve odaya girince bir münakaşanın başlayacağını seziyordum.

Nitekim odamıza girdiğimiz anda, Defne, "Hala ben çocuk değilim," dedi.

"Elbette değilsin ama burada yabancısın. Dilini bile henüz doğru dürüst..."

Lafımı kesti, "Arkadaşım olmazsa nasıl öğrenirim?"

Doğru söylüyordu aslında. Ben de o arkadaş edinsin diye elimden geleni yapacaktım ama arkadaş niyetine tanımadığımız gençleri toplamayacaktık herhalde sokaktan.

"Gerçekten yorgun değil misin?"diye sordum, "ben ayakta zor duruyorum."

"Sen ihtiyarsın."

"İnsanlara sen ihtiyarsın denmez, ayıptır. İlla söyleyeceksen, yaşlısın denir ki, ben yaşlı değilim. Sadece orta yaşlıyım."

"Ama ben çok gencim, hala."

Ellerime belime koydum, "Ne istiyorsun Defne, o kızın yanına gitmeyi mi? Tanıyor musun onu ve arkadaşlarını?"

"Başka ağaçlar kesilmesin diye bekleyecekler sabaha kadar, beklerken de müzik yapacaklar. Bunda ne kötülük var?"

Birden annemle çatışmalarımı hatırladım. Benim onun yaşındayken kullandığım kelimelerle konuşmuştu Defne: *'Arkadaşlarla sinemaya gitmekte ne kötülük var, anne? Arkadaşlarla yürüyüşe çıkmakta ne kötülük var anne? Arkadaşımın doğum günü partisine gideceğim, bunda ne kötülük var, anne?'* Bana çoğu zaman izin vermeyen, nefesini her an ensemde hissettiğim annem, evlenmeden gebe kalmama mani olamamıştı. Ders al, Handan, dedim kendime, hayattan ders al, Allah aşkına!

"Bak Defne, biraz dinlenelim, sonra birlikte gideriz parka. Ortam güzelse seni orada bırakırım. Saat on birden önce dönersin ama otele. Tamam mı?"

"Tamam, hala. Ben de natura... doğayı korumak için çalıştım okuldaki dernekte. Hep gökdelen ya bizim oralar, biz karşı çıktık yeni büyük binalara. Anladım onları ben, bu yüzden."

"Aferin sana."

"Derin şey etti beni... ağaçları, yeşili korumak için."

"O mu yönlendirdi seni?"

"Evet, yönlendirdi. Bana ağaç sevgisini o öğretti. Derin çok şeydir... doğasever, hayvansever, insansever. Benim abim çok şeydir."

İçimden keşke babasıyla kardeşini de çok sevseydi diye geçirdim.

"Gel televizyonu açalım, Defne, belki bir şeyler görürüz bu ağaçlara dair," dedim.

Defne, valizinin içinden kırmızı bir giysiyi çekiştirmekle meşguldü. Ben televizyonu açıp kanallarda gezinmeye başladım. Bir haber kanalı bulunca durdum. Sökülen ağaçlara ya da kurulan çadırlara dair haber yoktu. Herhalde programın sonuna doğru söyleyeceklerdi. Yatağa uzanmış, ağaçlarla ilgili haber beklerken dalıp gitmişim.

Beni Defne uyandırdı.

"Hala, ben çıkıyorum," dedi. Üzerinde kırmızı elbise vardı.

"Kızım, bekle de toparlanayım..."

"Senin gelmene gerek yok. Parktayım ben, şuracıkta..."

"Tamam, peki. Geç kalma lütfen. Yarın çok işimiz var."

Aslında işi olan bendim, onu sabah istediği kadar uyusun diye otelde bırakacaktım ama galiba vazgeçiyordum bu fikirden. Benimle gelmesi daha iyi olurdu.

"Kalmam. Merak etme."

Çıktı gitti. Bir on beş dakika sonra ben de çıktım peşinden, parkın bize uzak olan ana kapısından girip dolanmaya başladım. Bir sürü genç insan vardı çimenlere yayılmış. Gruplar halinde oturmuşlardı, bazıları bir ağızdan şarkı söylüyor, bazıları aralarında konuşuyor, kimileri de yerlere serdikleri kartonlara sloganlar yazıp ağaçlara asıyordu.

Ağaçları kendime siper ederek Defne'yi aradım. Koyu yeşil çadırın önünde oturan gruptaydı. Birkaç saat evvel tanıştığı kızın yanına oturmuş, gitar çalan oğlanı dinliyordu. Keyfi yerindeydi. Tehlikeli, sakıncalı hiçbir şey yoktu görünürde. Geç kalacak olursa, on ikide gelir, onu alır, otele götürürdüm, yerini öğrenmiştim nasıl olsa.

Otele içim rahat döndüm.

Soyundum, gecelikle yatağın üzerine uzandım yine, televizyonu açtım. Haberlerde Gezi'ye dair yine hiçbir şey yoktu. Kapattım televizyonu, ertesi gün yapacağım işlerin listesini hazırladım. Eve gidilecek, temizlikçim Hacer bulunacak, Defne'nin odasını boyaması için bir boyacı ayarlanacak, avukatıma telefon edilecek, birikmiş faturalar ödenecek, Defne'ye yerel cep telefonu numarası alınacak ve en mühimi, Defne'nin üniversite işi halledilecekti. Vay babam vay! Nasıl kalkacaktım bakalım tüm bu işlerin üstünden!

Vakit geçsin diye odaya bırakılan günlük gazeteyi okumaya başladım. Kaptırmışım. Bir ara saatime baktım ki, on ikiye çeyrek vardı ve Defne dönmemişti. Onu almaya gideyim mi, yoksa sabırla bekleyeyim mi diye düşünürken kapı vuruldu. Fırladım açtım. Defne, gözleri pırıl pırıl, yüzünde kocaman bir gülümsemeyle odaya daldı!

"Sana söz verdim diye döndüm, hala. Ben geldim ama arkadaşlar daha oturuyorlar," dedi.

"Onlar çadırlarında yatacaklar, güzelim. Senin çadır burada, bak." Çarşafı yukarı doğru çektim. "Soyun da gir sen de kendi çadırına. İyi vakit geçirdin mi bari?"

"*Great* vakit geçirdim. Hiç ummuyordum. Hepsi üniversiteli çocuklardı. Konuştuk, şarkı söyledik. Ben yarın yine gideceğim yanlarına. Bir protesto grupları var, katılacağım."

"Neyi protesto ediyorlar? Ağaç kesimini mi?"

"Evet, ama başka şeyleri de. Yaşama alanı bırakmıyormuş, Başbakan. Erkek arkadaş çok ayıp, el ele dolaşmak, ne bileyim, sokakta bira içmek... Ha, çok komik, sezaryenle doğurmayı bile yasaklamış..."

"Yasak değil de... tercih edilmiyor herhalde."

"Ona ne ama? Kılık kıyafete karış, ona karış, buna karış, içki içene alkolik de. Çin mi burası? Bir diktatörlük mü?"

"Bunlardan sana ne be kızım?"

"Ben burada yaşamayacak mıyım? Artık bu şehirdeki her ağaç benim de sayılır."

İçimden, Allah razı olsun sökülen ağaçlardan diye geçirdim, benimsedi gitti İstanbul'u.

"Sonra hala, başka fena şeyler de yapmış. Eğitimin içine sıçmış."

İrkildim, "Nasıl laf bu, Defne?"

"Valla öyle dedi arkadaşlar. 'Fucked-up' anlamına geliyormuş. Altüst olmuş okulların hepsi. Savurmuş atmış eğitim sistemini, papaz yetiş... pardon imam yetiştirmek için, bir de kızlar okuldan erken yaşta kurtulsun da erken evlensinler diye, dört yıla indirmiş ilkokulu... Ayrıca..."

Lafını kestim, "Sen ne Türkçede ne İngilizcede kullanma bu sözleri. Yakışmıyor ağzına. Arkadaşlarının beynini yıkamasına da izin verme."

"Yoo, beynimi yıkamadılar. Onlar aralarında konuştu, ben de dinledim."

"Anladın mı her dediklerini? Bakıyorum da çabuk açılıyor Türkçen."

"Bazı sözleri anlamadım, sordum."

"Bak, bir laf vardır Türkçede, 'Kılavuzu karga olanın burnu pislikten çıkmaz,' deriz. Öyle her söylenene kanma, sakın. Seni yönlendirmesin bu gençler. Kim bunlar sahi?"

"Hala, çok şeker çocuklar hepsi. Tanısan sen de seversin."

"Haydi, soyun da yatalım artık. Erken kalkacağım ben," dedim.

"Ben de erken kalkıp onlara gideceğim."

"Tadında bırak Defne. Tanımıyorsun, etmiyorsun..."

"Kahvaltıya bekliyorlar beni. Gel sen de tanış, hala. Hepsi çok *cool*."

"Benim bir sürü işim var, sabah. Sen ya benimle gel ya da otelde dinlen."

"Onlarla kahvaltı eder, sonra gelirim."

"Pis çadırlarda ne kahvaltısı bu, Allah aşkına?"

"Evlerinden getirecek anneleri. Börek filan."

"Allah Allah! Bu annelerin başka işi yok mu?"

"Anneleri destekliyor onları."

Ne anneler varmış, çocuklarının parklarda yatmasını destekleyen. Sevsinler bu anneleri! İçimden kızıyordum ama Defne'yle daha birinci günden arıza çıkartmak istemiyordum.

"Bak Defne, kahvaltıya gider, dönersin. Tam öğlen vakti telefon edeceğim, seni mutlaka otelde, odanda bulayım, tamam mı? Sonra ben gelirim, birlikte öğle yemeği yeriz."

"Olur, hala," dedi.

Işığı söndürdük. O hemen uyudu. Ben endişelerimle baş başa kaldım, sabahın erken saatlerine kadar. Kim bilir saat kaç olmuştu, perde çekili olduğu için şafak söktü mü bilemiyordum. Nihayet kötü rüyalarla dolu bir uykuya daldım. Yüzü maskeli adamlar ellerinle silahlarla evimi basıyorlardı. Tak! Tak! Tak! Ter içinde uyandım, oturdum yatağımda ama silah sesleri devam ediyordu. Tanrım, yine darbe mi oluyordu bu memlekette?! Yetti be artık bu darbeler! Gençliğimiz darbe korkusuyla geçti, gitti. Bir de bu yaşımda çekemezdim hiç! Tak! Tak! Tak! Pencereye koştum, perdeyi araladım. Bir şey göremiyordum ama havada bir kızıllık, odada da tuhaf bir koku vardı. Bir patlama sesi... Bir tane daha! Aaa! Neler oluyordu?

Alelacele geceliğin üzerine bir pantolon geçirdim, geceliğin eteğini pantolonun içine tıkıştırdım, omuzlarıma şalımı aldım, başucu masasında duran kapı kartını kapıp aşağı indim. Resepsiyondaki adam taburesinin üzerinde uyukluyordu. Odadaki o tuhaf koku, aşağıda daha da keskindi. Yanına gidip boğazımı temizledim. Telaşla ayağa fırladı önce, sonra yine oturdu yerine.

"Nedir bu silah sesleri? Bu patlamalar? Ne oluyor Allah aşkına?"

"Onlar silah sesi değil. Polis gaz kapsülü atıyor direnişçilere. Sabahın beşinden beri Gezi'deki çadırları dağıtıyorlar."

"Ha, o kadar mı? İyi bari, ben başka şey zannettim de. Kızıllık, güneşin kızıllığıymış, demek ki."

"Hayır efendim, çadırları yaktılar ya..."

"Aman Allahım, çadırları mı yaktılar? Kimler?"

"Polis işte."

"Delirdi mi bunlar? Çoluk çocuk vardı o çadırlarda..."

"Direniyorlar gençler, laf anlamıyorlar ki! Yok efendim, ağaçlar kesilmeyecekmiş!"

"O ağaçlar kaç senelik, biliyor musun sen? Senin annen bile doğmamıştı o ağaçlar dikildiğinde. Çadırlar yakılır mı?.. Ya birine zarar gelirse! Ya yanarsa çocuklar?"

Adam tepkime şaşırdı. Bana bir şey söyleyecek oldu ama dinlemedim. Vaktim yoktu. Asansöre koştum. Defne'nin de gürültülere uyanıp parka gitmesine mani olmalıydım. Bastım bizim katın düğmesine. Asansör durunca katıma geldiğimi zannettim, çıktım asansörden, odamın bulunduğu yöne yürüdüm. Kartı soktum kilide, zorladım kapıyı. Açılmadı. Çıkardım kartı, ters tarafından soktum bu sefer, yine zorladım, bu kez açılıverdi. Önümde pijamalı heyula gibi bir herif! Ayyy diye bağırdım.

"Ne istiyorsun?" dedi. Tanrım, yanlış odadaydım!

"Pardon... Odamı şaşırdım," dedim.

"Madem geldin, buyur."

"Yanlış katta inmişim. Çok pardon. Çok pardon."

"Sabahın bu saatinde ne işin var dışarda?"

Sana ne be kazma! "Rahatsız ettim sizi... Affedersiniz."

Koşar adım uzaklaştım oradan. Asansörü bekledim yine sabırla. Gelince bindim, bu kez dikkatle kendi katımın düğmesine bastım. Odama gelince kapıyı usulca açtım, doğru tuvalete süzüldüm. İşimi bitirince odaya girdim ki, Defne yatakta yok! Allahım, nerede bu kız? Çaresizlikle etrafa bakındım. Aynanın önüne bir kâğıt sıkıştırmış.

"Hala,

Parkta bir şeyler oluyor. Sen de herhalde parka gittin. Seni bulmaya gidiyorum. Buluşamazsak, otele dönelim ikimiz de."

Aceleyle geceliği çıkartıp üzerime bir tişört, ayağıma ayakkabı giydim, koluma çantamı taktım, tam kapıdan çıkarken akıl ettim, baktım dünkü giysiyi mi giymiş diye. Dün gece üzerinden çıkarıp koltuğun üzerine attığı kırmızı elbisesi yerinde yoktu. İyi, onu bulmam kolay olacaktı. Gerisin geriye asansöre koştum yine. Resepsiyondaki adam bu kez ayakta dikiliyordu.

"Genç bir kız geçti mi buradan, çıktı mı şimdi?" diye sordum. Aval aval yüzüme baktı.

"Bir genç kız, yeğenim yani, şöyle uzun saçlı (tarif ettim elimle), kırmızı elbiseli, çıktı mı dışarı az evvel."

"Evet. Az önce öyle biri çıktı."

Fırladım otelden, yolun sonuna kadar koştum, caddeye vardım. Karşıya geçişi kordonlarla kesmişlerdi. Bir polis memuru karşı tarafa geçmeme mani oldu.

"Yasak efendim."

"Benim geçmem lazım," dedim.

"Yasak!"

"Ben mutlaka geçmeliyim."

"Yasak dedik, hanım."

"Bakın benim yeğenim gencecik bir kız, dün geldi Amerika'dan. Türkçe bilmez. Parktaydı. Onu alıp otele döneceğim."

"Ne işi vardı parkta?"

159

"Bir arkadaşını görmeye gittiydi. Vallahi protestocu filan değil. İnanamazsanız siz de benimle gelin. Kızı bulup gideyim. Yabancı o, derdini anlatamaz."

"Başımıza her şey bu yabancıların yüzünden geliyor zaten."

"Evet, haklısın da, bu masum bir kız."

"Görev yerimi bırakamam hanım, var git başımdan."

Ağlamaya başladım. Hiç oralı olmadı. Oturdum kaldırıma, yüzüm ellerimin arasında hıçkırdım.

"Bırakmasaydın kızı," dedi.

"Laf dinliyorlar mı?! Ben mi bıraktım?! Üstelik emanet kız. Allahım, öleyim ben. Allah rızası için bırak beni kardeşim. Gidip bulayım kızı."

"Orada kimseyi bulamazsın. Kimse kalmadı orada."

"Nereye gideceğini biliyorum ben. Yeşil çadırın oradadır. Alıp geleceğim. Gelmezsem, tutukla beni."

"Çadır madır kalmadı orada hanım."

Büsbütün ağlamaya başladım,"Kızcağız beni bekliyordur. Yol iz bilmez bu şehirde."

"İbrahiiim," diye seslendi geriye doğru. Ekose gömlekli gençten bir tip bitti yanımızda, "Buyur abi."

"Şu hanımla git bak bakalım parka, kızını kaybetmiş."

"Şimdi mi abi... Ama..."

"Haydi İbrahim."

İbrahim lahavle çekti. Kalktım kaldırımdan, birlikte karşıya geçip yangın yerine dönmüş parka daldık. Kül olmuş çadırlardan kapkara dumanlar yükseliyor. İkimizi de öksürük tuttu.

"Haydi abla, bak burada kız mız yok, dön sen evine," dedi İbrahim.

"Az yürüyelim, burada bir yerdedir," dedim.

Talan edilmişti park, boştu. Birkaç aç kedi çadır kalıntılarının arasında dolaşıyordu. Hızlı adımlarla Taksim istikametine yürüdüm, peşimde İbrahim'le. Taksim Meydanı'na nereden geldiklerini bilmediğim insanlar toplanmaya başlamıştı.

"Karınca sürüsü gibi bunlar," dedi İbrahim, "yerden bitiyorlar sanki."

Biz merdivenlerden meydana inerken, sonradan "toma" dendiğini öğrendiğim siyah araçlar tazyikli su fışkırtmaya başlamışlardı giderek çoğalan kalabalığa karşı. İnsanların kimi sağa sola kaçışıyor, kimi tomalara tırmanmaya çalışıyordu. Çığlık çığlıyaydı herkes. Ben bir film seyreder gibi, gözlerime inanamadan olup bitene bakıyor, o kalabalıkta Defne'yi arıyordum. Birden gördüm onu. Defne, su fışkırtan tomanın önünde, kollarını iki yana açmış, semah yapan Mevlevi gibi, eteklerini uçuşturarak sallanıyordu. Belki de üzerine fışkırtılan su sarsıyordu onu.

"Buldum kızı," dedim İbrahim'e.

"Onu hemen götürün buradan, yoksa başınız derde girer," dedi bana. Ben avazım çıktığı kadar bağırdım:

"Defneeeee! Defneeeee!"

Beni duymasına imkân yoktu. Çok gürültü vardı meydanda. Ona doğru koşmaya çalıştım, biri kolumdan çekti. Arkama döndüm, İbrahim gitmiş, hiç tanımadığım bir genç mani olmaya çalışıyordu tomaya doğru yürümeme.

"Gitmeyin, gaz fişekleri atıyorlar," dedi kollarımdan çekerek ve işte tam da o anda, odamda duymuş olduğum silah seslerini yeniden duymaya başladım. Tak! Tak! Tak! Defne'nin bulunduğu noktadaki insanlar sağa sola kaçışıyorlardı. Gözlerim yanıyordu. Boğazım yanıyordu. Âdeta kör olmuştum, bir süre hiç şey göremedim. Nefes de alamıyor, göğüs kafesim patlayacak gibi hissediyordum. Allahım, ölüyordum. Bana bir şey olursa, bu koca şehirde Defne ne yapardı yarım Türkçesiyle? Panik içinde kalabalığın arasında, kaçışan insanlarla birlikte, oraya buraya sürükleniyordum.

Gözlerimi nihayet açabildiğimde, kendimi Gümüşsuyu'na inen yokuşun başında buldum. Dalgaya karşı yüzer gibi, üzerime doğru gelenlerin arasına dalarak, itişip kakışarak meydana geri döndüm.

Defne, onu gördüğüm yerde yoktu.

Her taraf su içindeydi, havadaki kara bulut ağır ağır dağılıyordu. Meydan boşalmıştı. İnsanlar Beyoğlu'na, Tarlabaşı'na ve Dolmabahçe'ye inen yollara kaçışmışlardı.

Bir polise yaklaşıp, "Kızımı arıyorum, üzerinde kırmızı bir elbise vardı. Gördünüz mü?" diye sordum.

"Karakola gidin, orada sorun," dedi.

"Niye karakola gitsin ki, suçlu değil o."

Duymadı bile beni. Bir başkası kolumdan çekiştirdi, "Karakola gitmeden önce şurada ilkyardım var, oraya bakın," dedi.

"Neden?" Dehşet içindeydim.

"Bazı gençlere plastik mermi isabet etti. Belki aralarındadır."

"Aman Allahım!"

Önce Sıraselviler'e doğru koşmaya başladım. Bildiğim kadarıyla Taksim'deki ilkyardım oradaydı çünkü. Sonra durdum. Soğukkanlı olmalıydım. Paniğe kapılmadan düşünmeliydim. Defne belki de otele dönmüştü. Büyük bir ihtimalle öyle yapmıştı. Bunun üzerine ben de, bu kez koşarak doğru otele yollandım. Polis megafonla insanlara dağılmaları için anons yapıyordu ama dağılanlar yeniden toplanmaya başlamışlardı. Polis gaz fişekleri attı. Birden nereden bittiğini anlayamadığım iki genç, fişekleri düştükleri an ellerine alıp polise doğru geri fırlattılar. Parkın önünde gazlanan insanlar da, can havliyle ellerine geçirdiklerini fırlatıyorlardı polise. Derken, yine park tarafından sapancılar girdi devreye. Sapanla taş atıyorlardı. Polis geri çekilmeye başladı. Ben bu fırsattan istifade, yolumu kesen yüzü maskeli polise otelimin adını söyledim, cebimdeki kartı gösterdim. Hiç beklemiyordum ama bıraktılar, çünkü o anda çok daha önemli meseleleri vardı. Kendilerine taş ve gaz kapsülü atanların arkasına saklandıkları barikatları yıkmaları gerekiyordu.

Gaz kapsüllerinin birbirine geçen dumanları arasında, öksüre tıksıra otele vardığımda nefes nefeseydim. Her zaman açık duran döner kapı kapalıydı. İçeri giremedim. Önce elimle, sonra parmağımdaki yüzükle vurdum. Bir görevli belirdi. Tanıdı beni, kilidi çevirdi, döndüm kapıyla birlikte. Bu saatte dolmaya başlaması gereken lobi bomboştu. Resepsiyonda ise, sabahkinin yerinde bir başka adam vardı şimdi.

Nefes nefese kalmıştım.

"Anahtarımı verin. Yok yok, kapı kartım bendeydi..."

Asansöre koştum. Odama çıktım. Defne odada yoktu. Koşturarak aşağı indim yine.

"Kapınız niye kilitli? Niye dönmüyor?" diye sordum.

"Her gelen içeri dalmasın diye..."

"Kızım geldi de almadınız mı yoksa? Kırmızı elbiseliydi?.."

Bir sessizlik oldu.

"O, bu otelin müşterisidir. Onu dışarıda bırakıp almadınız mı yoksa? Niye susuyorsunuz? Haydi söylesenize?"

"Belki geldi, bilemeyiz. Kapıda bir yığılma oldu, sonra gittiler."

"Sizi gidi alçaklar!"

"Biz müşteri olduğunu ne bilelim hanımefendi! Bir sürü insan geldi... Polisten kaçanlar yani..."

"Siz ne biçim insansınız?" diye bağırdım, "onlar polisten niye kaçsınlar? Ne suçları var ki? Ağaçları korumak suç mu? O insanlar gözlerini, boğazlarını yakan gazdan kaçtılar."

"Bize talimat verildi..."

"Kim verdi bu talimatı? Müdür mü? Nerede onun odası? Çabuk gelsin buraya! Göstereceğim ona gününü..."

"Hanımefendi, sakin olun. Siz kızınızı gidin karakola sorun. Polisler gençleri topluyordu. Herhalde ifadesini alıyorlardır."

Ah ben nasıl düşmüştüm bu kâbusu içine? Lobideki koltuklardan birine yığılırken, resepsiyondaki adamlardan biri,

"Hanımefendi, üşüteceksiniz. Sırılsıklamsınız," dedi.

Adam beni değil, koltuğu düşünüyordu, bundan emindim ama o söylemese üstümün başımın ıslak olduğunun farkında bile olmayacaktım. Aceleyle asansöre yürüdüm, asansörün aynasında, üzerime yapışmış giysilerim, kafama yapışmış saçlarımla kendimi sırılsıklam görünce görüntümden ürktüm.

Ne olmuştu bize bir gece içinde? Nereden nereye savrulmuştuk? Sakin bir geceye yatıp bir cehenneme uyanmıştık. Ama neden? Birkaç genç, ağaçlar kesilmesin diye gösteri yaptığı için mi? Hiç adam olmayacak mıydık biz? Neden bu kadar nefret ediyorduk gençlerimizden? Onlarca yıl sol görüşlü olanları dövmüş, süründürmüş, hayatlarını kaydırmıştık. Dinci söylemleri olanları küçümsemiştik. Sıra ağaç sevenlere mi gelmişti şimdi? Şu işe bakın siz! Şu bendeki şansa bakın! Dinci, sağcı, solcu olmayan Defne, çevreciydi. Tam da yerine getirmiştim onu. Allah belamı versindi benim. Ama şimdi yakınmayı bırakıp, üstümü değiştirip, en yakındaki karakoldan başlayarak Defne'yi aramaya çıkmalıydım.

Asansör durdu. Odamın önünde oda numarasını dikkatle kontrol edip öyle soktum kartı kilide. İçeri gidim.

Aman Tanrım! Defne yatağın içinde, sırtını yastıklara dayamış, bilgisayarda bir şeyler yazıyordu...

"Neredeydin sen?" diye bağırdım, "aramadığım yer kalmadı, beni deli etmek mi istiyorsun?"

"Asıl sen neredeydin hala? Ben de seni merak ettim."

"Nerede olacağım, senin peşinde elbette."

"Ben nerdeyse bir saattir buradayım."

Gözüme koltuğun üzerine katlanıp konmuş kırmızı elbise takıldı. Kurusun diye banyoya asmak üzere gittim, aldım onu oradan. Oysa elbise kupkuruydu.

"Ne zaman kuruttun bunu?"

165

Aval aval yüzüme baktı.

"Sen tazyikli suyla ıslanmadın mı Defne?"

"Yoo, biz metroya indik, caddenin bu tarafına da yeraltı geçidinden geldik arkadaşlarla. Biliyor musun hala, bizden sonra o geçidi de kestiler."

"Meydana çıkamadın yani?"

"İstedim ama çıkamadım. Dedim ya, tutmuşlardı çıkışları."

"Otele nasıl girdin?"

"Otelin arka kapısından... Arkadaşlar biliyordu yerini."

Tamam da, tazyikli suya karşı kollarını açmış direnen, Defne zannettiğim kız kimdi öyleyse? Bir başka kırmızı elbiseli kız olmalıydı. Bu yanılgımı ona söylememeye karar verdim ama aptallığımın acısını yine Defne'den çıkardım.

"Arkadaşlarım deyip durma! Senin henüz arkadaşın filan yok bu şehirde. Bir gece birkaç saat gitar tıngırtısını birlikte dinlemekle arkadaş olunmaz. Kimdirler, neyin nesidirler bilmiyorsun!"

Bana cevap yetiştirmek yerine, "Senin canın sıkılmış, hala," dedi.

"Sıkıldı, hem de çok," dedim.

Defne, sinirli olduğumu fark ettiği için üzerime gelmedi. O gün akşam saatlerine kadar otelin içinde oyalandık. Yemeğe indik, spor salonuna gittik. Hayat dışarıda normale döndükten sonra, "Haydi gel, çıkalım, işlerimizi yapmaya gidelim," dedim Defne'ye.

"Sen git. Ben otelde kalmak istiyorum," dedi.

"Sen de gel benimle. Aklım sende kalmasın."

"İşim var. Mail'lerime bakacağım."

O yaşta bir insana zorla hiçbir şey yaptıramayacağımı yavaş yavaş fark ediyordum. Nasıl bir sorumluluk almıştım ben başıma? Yedi yaşında değildi ki kız, sözümü geçirebileyim. İçimi çektim, "Buralarda bir yerde herhalde bir Turkcell vardır. Sana bir hat alacağım," dedim.

"Teşekkür ederim."

"Böylece birbirimize kolayca ulaşırız."

"Başkalarına da ulaşırız inshallaah!" Amerikan aksanıyla telaffuz etti bu sözü. Güldüm.

"Zaman içinde doğru dürüst arkadaşların da olur, onlara da ulaşırsın inshallaah," diye taklit ettim onu. "Böyle parktan toplama değil de, üniversitede edinilmiş arkadaşlar. Defne, şimdi bana otelden ayrılmayacağın dair söz ver. Hiç olmazsa ben telefon işini halledip dönene kadar odanda otur, tamam mı?"

"Tamam," dedi.

Üstümü değiştim, Defne'ye tembihlerimi yineledikten sonra çıktım. Sokaklar sakinleşmişti. İstiklal Caddesi'nde, Tünel'e doğru yürüdüm. Yürümek iyi geldi. Telefon işimizi hallettim ve otele döndüm.

Odaya girdiğimde Defne televizyon seyrediyordu. Sesten rahatsız olmamak için tuvalete geçip kapıyı kapattım ve ilk işim, Amerika'ya gitmeden önce bana temizliğe gelen Hacer'i aramak oldu. Yaşadığımız günlerle ilgili ahlı vahlı bir konuşmanın sonunda, ertesi gün evimde saat dokuzda buluşmak üzere sözleştik. O, gelini ile birlikte gelecek, uzun zamandır kapalı kalan evi açıp havalandıracaklar, akşama kadar tertemiz edeceklerdi. Defne'nin odasının boyasına da çare oldu Hacer. Boyacılık yapan bir yeğeni vardı, sabah uğrardı eve, ben hangi rengi istiyorsam karteladan seçerdim, bir odanın boyanması neydi ki böyle bir mevsimde, çabucak kururdu boyalar, iki günde biterdi iş. Bir iki gece de evin pencerelerini açık bırakıp havalandırdık mıydı, boya kokusu filan kalmazdı.

Tüm bu işleri hallettiğim için telefonu çok keyifli kapattım. Odaya geçtim. Defne, dikkat kesilmişti televizyonun önünde.

"Bak hala," dedi, "Başbakan'ın konuşmasını veriyor televizyon. Ağaçları neden kestiklerini öğrendim. Futbol sahası yapıyorlarmış oraya."

"Saçmalama Defne. Oraya futbol sahası mı yapılır?"

"Duydum ama."

Kızın yanına iliştim. Zapladım. Bir başka kanalda, genç güzel bir kadın sunucu, Başbakan'ın, Yavuz Sultan Selim Köprüsü'nün açılış konuşmasında (Ne zaman bitirdiler de, bir de isim taktılar bu köprüye! Ben gitmeden daha yerinin münakaşasını yapıyorlardı sivil toplum örgütleri.) Gezi olaylarına değinip, "Ne yaparlarsa yapsınlar, biz Topçu Kışlası'nı oraya yapacağız," dediğini söylüyordu. Gülmeye başladım.

"Senin Türkçen yıkılıyor Defne! Kızım Topçu Kışlası, futbol sahası değil ki."

Defne'ye kısaca anlattım Topçu Kışlası'nı. Bir başka kanalda, Başbakan muazzam bir kalabalığa, bu sefer kendi hitap ediyordu. Kızgındı, gergindi, yorgundu. Bağırırken boğazındaki damarlar şişiyordu. Konuşması ilerledikçe, üçüncü köprünün açılış töreninde değil, temel atma töreninde olduklarını anladım. Başbakan'ın Topçu Kışlası merakını ise, hiç anlayamadım. Nereden çıkmıştı Taksim Meydanı'nın orta yerine bir Topçu Kışlası kondurmak? Hani askerleri sevmiyordu bu adam?

"Defne, sıkıldım bu asabi konuşmadan?" dedim, "başka kanallara geç de bir film bulalım."

Kız yeniden zaplamaya başladı. Tanrım, bütün kanallarda hep aynı konuşma, hep aynı kızgın ve yorgun Başbakan! Nihayet bir yabancı kanalda bir film yakaladık. Soyunup Defne'nin yanına uzandım.

"Bugün seni birine benzettim," dedim, "kırmızı giysili bir kızın üzerine polisler üzerine su sıkıyorlardı. Yaralanacaksın diye çok korktum Defne. Yarın yanımdan ayrılma, benimle gel. Hem de odanı boyatacağım, rengine sen karar verirsin."

"Sen istediğin rengi seç, hala."

"Orası senin odan ama!"

"Açık mavi olsun. Babamın en sevdiği renkti. Ona İzmir denizini hatırlattığı için."

"Evimizi de görmüş olurdun."

"Nasılsa görecek değil miyim?"

Yanıtlamadım. Çok yorgundum ben de. En az televizyondaki Başbakan kadar kızgın, gergin ve yorgundum. Filmi hiç konuşmadan seyrettik. Reklam arası verildiğinde, "Yarın sabah gelirim seninle, hala," dedi Defne.

Kızın omuzuna kolumu attım, çektim onu kendime doğru, saçlarını kokladım, yanağını öptüm. Filmi el ele seyrettik, sonuna kadar. Sonra odaya yemek istettik, yedik afiyetle. Ben kitabımı okurken o mail'lerine bakıyordu. Gözlüğüm burnumun üstünde uyuyakalmışım. Defne gözlüğümü alıp başucuma bırakmış, ışığı söndürmüş. Hiç duymadım. Sabah erken uyandım, duşumu sessizce alıp giyindim. Melek gibi uyuyordu Defne. Kendi gençliğimden de bilirim bu yaştakilerin sabah uykularını. Uykulara doyamaz gençler. Onu uyandırmaya kıyamadım. Başucuna bir not bıraktım.

"Çok derin uyuyordun, uyandırmadım. Öğlen saatlerinde arayacağım. Telefonu yanına almayı unutma. Parka gitme. Beyoğlu'nda biraz dolaş, otele dön, beni bekle. Öptüm tatlı kızım.

Halan"
Otelden çıkıp caddeye yürüdüm. Sabahın erken saatlerinde park sakin görünüyordu. Metroyla Levent'e çıktım çabucak, Levent Çarşısı'nda taksiye binip evime gittim.

NİHAYET EVİMDEYDİM

Nihayet evimdeydim! Apar topar bırakıp gittiğim havasız odalarda tuhaf bir duyguyla dolandım. Sanki ölmüştüm de, ruhum evime geri dönmüş, yaşamış olduğum hayata uzaktan bakıyor, burun kıvırıyordu. Boşa harcamış bir ömür! Bir fırsat daha verilseydi bana, başka türlü yaşardım... da, ne yapardım, onu da tam bilemiyordum. Bir tuhaf pişmanlık hissiyle dolandım odalarda. Sonra pencereleri açtım teker teker. İçeriye güneşli ilkyaz havası doldu. Mutfağa geçtim, giderken buzdolabını çalışır vaziyette bırakmışım. Açtım kapağını. Yarılanmış bir şişe su duruyordu iç kapakta. Ayrıca bir beyaz, bir roze iki şişe şarap, yarısı tüketilmiş tereyağı paketi, üç yumurta, hiç açılmamış orta boy yoğurt paketi... Şarapların dışında ne varsa çöpe attım.

Yatak odama geçtim. Yatağın üstünde, gittiğim gün sürüsüne bereket aldığım gazeteler... Hepsinde İlhami'nin

171

resmi ve haberi... Ürperdim. Hava meydanındaki tedirginliğimden sonra bir daha hiç aklıma gelmemişti İlhami. Ne olmuştu ona acaba? Delice âşık olduğumu sandığım adam (bunca zaman ona ne olduğu hiç umurumda olmadığına göre, aşık olduğumu sanmıştım demek ki), hapiste miydi, öldü mü, kaldı mı, bilmiyordum. Merak da etmiyordum artık. Bundan böyle tek derdim, Defne'ydi. Onun mutluluğu, onun başarısı, onun iyiliği...

Oysa Amerika'ya uçana kadar, benim hayatımın gayesi, neşesi, tutkusu İlhami'ydi. Gözlerimi uykuya onu düşünerek yumardım, sabahları yine onun hayaliyle açardım. İlişkimizi bitirdiği yetmezmiş gibi, bir de ortaklığımızı bitirmeye kalkışması, beni deli divane etmişti. Ama gelin görün ki, şu anda hiçbir şey ifade etmiyordu bana.

Başucumdaki çekmeyi açtım, İstanbul'dayken her gece uyumadan önce baktığım, kim bilir hangi etkinlikte birlikte çektirdiğimiz fotoğrafını çıkardım. Çerçevesiyle birlikte attım çöp sepetine. Aşklarını kendileri yaratır, sonra da elleriyle yok mu ederdi bütün kadınlar, yoksa ben mi tuhaftım?

Kapı çaldı. Hacer, yanında gelini ve bir de gençten bir adamla dikiliyordu karşımda. Sarılıp öpüştük Hacer'le.

"Hoş geldin abla," dedi, "palas pandıras gittin, özlettin kendini. İyileşti mi bari kardeşin?"

"Vefat etti."

"Amaniin! Vay vayvaay! Vah vahvaah! Başın sağ olsun ablacığım. Allah onun ömrünü sana katsın, neler çektin sen ablacığım böyle..."

Hacer'in sözünü kesersem güceneceğini bildiğim için tiradını bitirmesini sabırla bekledim. Sustu nihayet.

"Sen hemen, gelininle birlikte mutfaktan başla temizliğe Hacer," dedim, "biz de, bu arkadaşla odanın rengine karar verelim. Renk kataloğunu getirdin mi?"

"Elbette abla," dedi boyacı.

"Gel o zaman benimle, sana odayı göstereyim."

Güzel bir mavi seçtik. Yatak başının yaslanacağı duvarı aynı mavinin iki ton koyusuna boyayamaya karar verdik. Onları evde bırakıp çıktım bankama gitmek için. Yolda Defne'yi aradım. Yeni uyanmıştı. Daha kahvaltı bile etmemişti. Banyoyu dolduracak, köpüklerin içinde yatacaktı. Bilgisayarında postalarına bakacaktı. Ben dönene kadar çıkmaya niyeti yoktu otelden. İçim rahat etti. Şimdi gönül rahatlığıyla işlerimi sırasıyla halletmeye başlayabilirdim.

Bankada para işlerimi düzene koyduktan sonra bir taksiye atlayıp Boğaziçi Üniversitesi'ne gidecektim. Defne için ilk tercihimiz, Boğaziçi'ydi. O olmazsa, onlarca üniversite arasından biri olurdu elbette. Bu sene başvuruda geç kalmışsak, bir yıl boyunca Türkçesini ilerletir, seneye tam zamanında yapardı başvurularını.

Hacer'le gelini evimi tertemiz ettikten, boyacı da Defne'nin odasını boyadıktan sonra, birkaç güne kadar evimde yepyeni bir hayata başlayacaktım. Huzurlu, keyifli, amaçlı bir hayata. Kızımla, Defne'mle... Onu mutlu etmek, başarılı bir geleceğe hazırlamak için.

Bankama ben yüzümde kocaman bir gülümsemeyle girdim de, gişelerin ardında çalışan genç kadınların yüzleri endişeliydi. Herhalde borsa yerlerde sürünüyordu. Aralarında beni tanıyanlar, bana küçük bir tezahüratta bulundular. Hal hatır sordular, başsağlığı dileklerini kabul ettim, sonra şubenin müdiresi Gülgün Hanım beni odasına davet ederek çay ikram etti. Malum hoş beşten sonra, "Siz de tam gelecek zamanı bulmuşsunuz," dedi, "şehir birkaç gündür fena karıştı."

"Bilmez olur muyum?! Biz Taksim'de kalıyoruz yeğenimle. Evi temizletene kadar birkaç gün otelde kalalım demiştim, bin kere pişman oldum."

"Bir an önce evinize dönün Handan Hanım, kalmayın Taksim'de. Gösteriler yayılıyor. Bakın, bugün Ankara'ya, İzmir'e, hatta Adana'ya, Tunceli'ye bile sıçramış. Ben sürekli sosyal medyayı takipteyim. Gündoğan'da ve Konak'ta dayanışma pankartı açmışlar... Ben İzmirliyim de."

"Gülgün Hanım, Allah aşkına nedir bu? Benim, neler olup bittiğinden hiç haberim yoktu. Gezi Parkı'nda kesilen ağaçlar için diyorlar ama inanasım gelmiyor."

"İlk gösteriler sadece kesilen ağaçlar içindi ama şimdi artık, insanların öfkesi, bir birikimin neticesi. İçki içenlerin tümü alkolik, iktidara oy vermeyenlerin tümü terörist ya da vatan haini, çevreciler çapulcu, eğitimli insanlar... Neydi, bir lafı vardı... Hatırladım, ha, monşer... Başbakan, anlamını sorsanız bilmez bile, sırf bizleri küçümsemek için kullanıyor. Eee, her şeyin bir haddi var, değil mi? Bu kadar küçümseme, bu kadar hakaret... İnsanlar da patladı sonunda."

"Ben meydan konuşmasını dinledim de..."

"Meydan konuşmalarına kulak asmayın," diye sözümü kesti, "meydana çıktı mıydı, abartıyor. Hep böyle yapıyor. Kendine oy verenler, onun diline alışık insanlar. O tür konuşmalardan hoşlanıyorlar."

"Yazık," dedim.

"Benden size tavsiye, yeğeninizi alıp Taksim'den uzaklaşın. Orada ne olacağı belli değil."

"Yapmayın yahu! Ben sabah çıkarken sakindi Taksim."

"Erken çıktınız herhalde. Sırrı Süreyya Önder omzundan yaralanmış gaz bombası kapsülüyle."

"Hemen Defne'yi arayayım... Kızı otelde bıraktım da... Hay Allah!"

Telefonumu çıkardım telaşla. Tuşladım. Ulaşılamıyordu. Bankaya girerken yüzümde beliren o aptal gülümseme, çirkin bir yara gibiydi şimdi, dudaklarımın kenarında. Talimatlarımı yazdığım kâğıdı imzaladım, toparlanıp kalktım. Boğaziçi Üniversitesi'ne gidip teyzemin ilkokuldan sınıf arkadaşı olan bir profesörle görüşecektim Defne'ye yardım etmesi için. Ta Miami'den, Oya vasıtasıyla ayarlamıştım bu randevuyu. Ama o anda içimden ne konuşmak, ne de o yolu tepmek geliyordu. Tek isteğim, Defne'yi bulup cebini açık tutmadığı için onu bir güzel azarlamaktı.

Bankadan çıktım. Karşı kaldırıma geçtim, Nispetiye Caddesi'nde, Boğaziçi Üniversitesi'ne doğru hızlı hızlı yürüdüm. Şehrin bu tarafında hiçbir sorun yoktu. İyi giyimli her yaştan insan, açık hava kafelerinde oturmuş sohbet ediyor ya da ellerinde alışveriş paketleriyle vitrinlere bakarak, telaş etmeden, keyifli keyifli dolanıyorlardı caddede.

Onların sükuneti bana da bulaştı, sakinleştim.

Türk'ün aklı başına kaçarken gelir derler ya, benimki hızlı yürürken geliyor olmalıydı; Defne'ye ulaşamadım diye elimdeki fırsatı heba etmenin aptallık olacağına karar verdim. Gidip görüşecektim teyzemin çocukluk arkadaşı olan hocayla. Bir taksi durdurdum, adresi söyledim ve on beş dakika sonra dünyanın en güzel manzaralı üniversitesindeydim.

Bir cennetti burası. Bin bir türlü yeşilin, şakayık ve sümbüllerin arasından Boğaz'a kuş bakışı bakan bir cennetti!

Ceyda Hoca, beni Boğaz manzaralı odasında kabul etti. Defne'nin akademik dosyasını uzattım. Zamanında başvuru yapılmadığı için kız bu yıl giriş fırsatını kaçırmıştı. Başka bir üniversiteye girip, notları el verdiği takdirde, edebiyat bölümüne yatay geçiş yapabilirdi seneye.

Teşekkür edip ayrıldım yanından.

Bebek'e inen yokuştan aşağı, kuş cıvıltılarını dinleyerek yürüdüm.

Üniversitenin kapısından, hızımı alamayıp Bebek Parkı'na kadar yürümeye devam ettim. Sonra bir taksi çevirdim ve eve gittim.

Evdekiler iyi iş çıkartmışlardı. Benim yatak odamın, mutfağın ve banyoların temizliği bitmişti. Defne'nin odasına ikinci kat boyayı vuruyordu boyacı, eve girdiğimde.

Defne'yi aradım. Telefonu bu kez çalıyor ama açılmıyordu. İçim az da olsa rahat etti. Demek ki şarjı bitmişti ilk aradığımda. Şimdi de sokaktaysa, duymuyordu herhalde. Oyalanmak için Hacer'le gelinine yardım etmeye karar verdim. Salonun temizliğini de bitirirsek, akşama Defne'yi eve getirirdim. Taksim hengamesinden kurtulurdu, benim de içim rahat ederdi. Üzerime dolabımdan eski püskü bir pantolon ve tişört geçirip kolları sıvadım, temizlikçilerle birlikte işe giriştim. Oh, endişemi yenemesem de, iki de bir telefona gitmeyecekti elim!

Salonun temizliği bitti. Garaja indim. Ama arabam çalış-madı. Yarın bir akü bağlatmam gerekebilirdi. Tekrar yukarı çıktım ve yine Defne'yi aradım. Meşguldü. Hayret! Kimi tanır ki, konuşsun! Bir an sonra telefonum çaldı.

Açtım, "Hala, seni arıyorum, meşgul çıkıyorsun," dedi.

"Defne, çok merak ettim seni. Kapalıydı telefonun sabah."

"Şarj ediyordum."

"Sonra da açmadın."

"Duymadım."

"Sokağa mı çıktın sen?"

"Evet."

"Hani söz vermiştin bana?"

"Hala, bütün gün hapis kalamam ki otelde. Sen gelme-yince ben de... arkadaşlarla..."

"Kim bu arkadaşlar? Parktaki serseriler mi?"

"Onlar serseri değil."

"Hayatım, tanımıyoruz..."

"Ben tanıyorum. Sen tanımak istemiyorsun."

"Ne yaptın onlarla? Parka mı gittin yine? Nasıl buldun onları?"

"Otelden aldılar beni. Oturduk, konuştuk. Burada yine olaylar oldu. Metro kesik, metroyla gelme, hala."

"Bir yolunu bulup geleceğim ve seni alıp evimize geti-receğim. Ev hazır. Odanın rengi çok güzel oldu. Bu gece boya kokar, orada yatamazsın ama benim geniş yatağımda birlikte yatarız, oteldeki gibi."

"Hala, bu gece buraya gelmeye kalkışma. Sana söz veri-yorum, odamda kalacağım. Sen sabah gelirsin."

177

"Olmaz öyle şey," dedim, "seni yalnız bırakamam."

"Kapımı sımsıkı kilitler, erken yatarım."

"Niye istemiyorsun gelmemi?"

" Ya sen yoldayken ortalık karışırsa..."

"O karışık ortamda ben seni yalnız bırakacağım, öyle mi?"

"Ben otele iki adım uzaklıktayım. Birazdan döneceğim zaten."

"Neredesin şu anda?"

Bir an sessizlik oldu, sonra, "Parktayım," dedi Defne. Allahtan yalan söylemeyi hiç bilmiyordu.

"Hani gitmeyecektin parka! Hani bana söz vermiştin! Sen şimdi hemen otele dön. Ben gelebilirsem gelirim, yoksa sabah gelirim, çıkış yapar, evimize döneriz," dedim konuşmayı bitirmek için. Defne'yi Taksim'deki otelde yalnız başına bırakmak aklımın ucundan bile geçmiyordu.

Televizyonu açtım. Her zaman seyrettiğim kanallarda beni doyuracak haberlere rastlayamadım. Bankadaki Gülgün Hanım, bir ara konuşurken, ne olup bitiğini öğrenmek için, daha önce hiç duymadığım bazı televizyon kanallarını seyretmemi önermişti. O kanalları buldum. Gerçekten de, sadece Ankara ve İzmir'de değil, Manisa'da, Marmaris'te, İzmit'te, Adana'da, hatta Tunceli'de bile destek gösterileri vardı. Bir haber, hepsinden daha çarpıcıydı. Zonguldak'ta Bülent Ecevit Üniversitesi'nde diploma alacak olan öğrenciler, mezuniyet töreninde, stadın kenarındaki köprüye GEZİ PARKI DİRENİYOR TAKSİM'E SELAM yazılı bir pankart asmışlardı ve sırf bu yüzden beş öğrenci tutuklanmıştı.

"Oha," diye bağırdım avazım çıktığı kadar, "öğrenci düşmanları sizi! Hiç değişmiyorsunuz, değil mi? Hangi partiden olursanız olun, Ak Parti, Mak Parti hiç fark etmiyor, asker olun, solcu olun, dinci olun, kıçınızı o koltuğa koyduğunuz anda, öğrenci düşmanı kesiliyorsunuz! Allah topunuzun belasını versin!"

Çat diye kapattım televizyonu.

Evde içki aradım. Yoktu. Avukatımı aradım ben de. İçimde ne varsa boşalttım. Hiç kesmeden dinledi, zavallı adam.

"Handan Hanım, siz evde kalın bu akşam. Sokaklar tekin değil. Benim evim Harbiye'de, ben ilgilenirim Defne ile. Ona civarda bir lokantada akşam yemeği yediririm, odasına çıktıktan sonra, yarım saat kadar da lobide otururum ki, dışarı çıkarsa göreyim diye. Siz dinlenin," dedi.

Ben nasıl öderdim böyle bir dostun hakkını. Dizlerim titriyordu yorgunluktan. Temizlik işleri yapmaya alışık olmadığım için feci yorgundum. Defne'yi tekrar aradım. Avukatımın onu yemeğe çıkaracağını söyledim.

"Offf hala of!" dedi.

Sıcak bir banyo doldurdum kendime, içine girdim, gevşedim. Sonra erkenden yattım. Yattım da uyudum mu? Evde bıraktığım uyku ilaçlarının tarihi geçmiş. Amerika'dan getirdiklerimi de otelde bırakmıştım. Sabaha kadar cebelleştim kâbuslarla.

Ah *Handan*, keşke o gece gelip kurulsaydın karşıma, çünkü sabaha kadar gözümü kırpmadığım gecelerden biri de o geceydi. Hiç olmazsa içimi sana dökerdim. Avukat, telefonun öte ucunda ancak yarım saat dayanabildi hezeyanlarıma, sen beni sabaha kadar dinlerdin oysa!

CAMİDE CAN PAZARI

Sabaha karşı dalmışım. Çalar saati sekize kurmuştum. Sesiyle uyandım. Bir müddet oyalandım yatakta. Sonra kalktım, kapıcının kapıdaki torbaya bıraktığı taze ekmeği ve gazeteyi alıp mutfağa girdim, çay koydum demliğe. Salona yürüdüm, önce televizyonu, sonra da balkon kapısını açtım ardına kadar. İçeriye temiz hava ve güneş doldu. Yemek odasındaki sandalyelerden birini alıp balkona çıktım. Komşum Nerime Hanım da kendi balkonundaydı o sırada. Sabah sohbetinden kaçınmak için iskemleyi iyice geriye çekip oturdum. Tam karşımdaki manzaranın tadını çıkarmaya hazırlanıyordum ki, kulağıma televizyonun sesi çalındı. Gezi'yle ilgili konuşuluyordu. İçeri geçtim.

Aaa, o da nesi! Televizyondaki görüntüde, köprünün üzeri araba yerine insan doluydu! Yanlış görüyor olmalıydım, uykusuz geçen geceden sonra. Gözlerimi kırpıştırıp tekrar baktım. Doğru görmüşüm. Köprünün üzerinde karınca sürüsü gibi insan vardı. Ağır ağır dalgalanarak, Anadolu yakasından bizim tarafa yürüyorlardı. O kadar şaşkındım ki, balkona dönüp az önce konuşmaktan kaçındığım komşum Nerime Hanım'a sesledim.

"Nerime Hanım, huu!"

"Hoş geldiniz Handancığım," dedi, "duydum kapıcıdan, kardeşiniz vefat etmiş. Hayırlısı ile yerleşin de, sonra size başsağlığı ziyaretine geleceğim."

"Nerime Hanım, televizyonda köprüyü gördünüz mü bu sabah?"

"Görmez olur muyum? Her kanal vermez ama Halk TV'de her şey var. Bir saattir seyrediyorum. Akın akın geliyorlar."

"Kim bunlar? Ne için geliyorlar?"

"Karşı tarafta oturan insanlar. Çocuklarına, dostlarına destek olmak için geliyorlar. Yetti gayrı demeye geliyorlar. Bize hakaret edip durma, nah buramıza geldi (eliyle boğazını gösterdi), demeye geliyorlar. Karşı tarafta her yaştan çok ahbabım vardır benim. Kızımın da torunlarımın da arkadaşları var sonra, sürekli haberleşiyoruz hepsiyle, bu yüzden biliyorum. Yaşlı başlı insanlar, teyzeler, amcalar, gençler, memurlar, esnaf... İktidarın bizi sokmak istediği dar çuvala sığmayanlar, hep geliyorlar seslerini duyurmak için."

"İyi de, ne yapacaklar?"

"Biz de varız deyip dönecekler evlerine. Başka ne gelir ki ellerinden?"

"Aman, yeniden bir darbe filan olmasın da..."

"Ne darbesi canım! Ordunun tekmili hapiste! Zaten kimsenin darbe filan istediği yok. Darbeden gına geldi hepimize. İstediğimiz hayatımızı yaşayabilmek, hepsi bu."

"Nereye gidiyor onca insan?" diye sordum yine, "Taksim'e mi?

"Herhalde. Gidebilirlerse elbette. Gazlayıp duruyorlar insanları. Astımım olmasa ben de giderdim."

Bir sen eksiktin, kocakarı diye geçirdim içimden. Gösteri yapanlara da, göstericilere eziyet eden polislere de, onlara bu emirleri verenlere de müthiş kızıyordum. Huzurlu bir yaşam için koşup gelmiştim memleketime, gel gör ki gösteri meraklıları ve kolluk kuvvetleri yüzünden sokakta yürümeye bile imkân yoktu!

İçeri geçtim. Defne'yi sabah saat ondan önce uyandırmayı düşünüyordum ama köprüyü o halde görünce bekleyemedim, telefona koştum. Hemen açtı.

"Günaydın," dedim, "Kalktın mı?"

"Kalktım ama kahvaltı etmedim henüz."

"Nasıl geçti akşamın?"

"Hala, bana dadı tutmana hiç gerek yoktu."

"Kızım senin için endişelenmem suç mu? Yalnız kalma, sıkılma diye..."

"Benim için endişelenmen suç değil ama çok sıkıcı."

"Yapayalnız mı kalmayı tercih ederdin?"

"Evet! Sen beni düşünme, beni merak etme. Rahat bırak beni. Evin temizlenince gelir, alırsın beni otelden."

Yetti ama bu nankörlük! Tepem attı, "Tamam, öyle olsun," dedim, "madem ne yapsam makbule geçmiyor, kendi başının çaresine bak. Yalnız şunu bil ki, köprünün üzerinde binlerce insan Taksim'e doğru ilerliyor. Orası ana baba günü olacak. Aklın varsa otelde kalırsın ya da bana bir saat söyle, gelip alayım seni."

"Sana yalan söylemek istemiyorum. Bugün arkadaşlarla parkın karşısındaki kafede buluşup bir şeyler yiyeceğiz. Sonra da parkta nöbetteyiz. Akşamüstünden evvel gelme, hala. Bir şey olursa cepten ararım."

"Defne, Türkçe anlamıyorsan bir kere de İngilizce söyleyeyim. Parka gitmeni is-te-mi-yo-rum! Orası tehlikeli."

"Polis filan gelecek olursa, gitmem, merak etme."

"Bak söz ver, ortalık karışırsa, otele döneceksin."

"Söz!"

Kapattım telefonu. Kapattığım anda da pişman oldum. Keşke seni hemen almaya geliyorum deseydim diye düşündüm. Olan olmuştu. Çayımı elime alıp televizyonun karşısına yerleştim. İnsanlar rengârenk giysileriyle kıvıl kıvıldılar köprünün üzerinde. Kol kola, omuz omza, telaş etmeden yürüyorlardı. Sanki bir gökkuşağı uzanıyordu Anadolu yakasından Rumeli'ye doğru.

Çayımı bitirince kapattım televizyonu. Yapacak çok işim vardı. Odama gittim, giyinirken kapı çaldı, Hacer, gelini ve boyacı geldiler. Koşuşturmalı bir başka gün başlıyordu bana. Mutfağa gerekli erzakın tümünü henüz alamamıştım, alışveriş etmeli, arabamla ilgilenmeli ve Defne'nin mavi duvarlarına uyacak perdelik kumaş bulmalıydım.

"Siz kendinize bir makarna haşlayın Hacer," dedim, "yumurta ve meyve de var dolapta."

"Sen bizi düşünme abla," dedi Hacer, "biz yaparız bir şeyler."

Ne güzel, kimse benim ilgimi, alakamı istemiyordu!

Çektim kapıyı, çıktım.

Hava çok güzeldi. Yollar sakindi. Gerginlikten, protestodan, gösteriden filan eser yoktu buralarda. Köprüde binlerce kişi yürüyerek Taksim'e akıyordu; sosyal medyada başka şehirlere yayılan gösteri haberleri, gaza boğulmuş şehir meydanları, tazyikli su sıkan ürkütücü araçlar, yüzleri maskeli, acımasız polis görüntüleri; televizyon kanallarında gergin, kızgın, endişeli konuşmacılar vardı ama İstanbul'un benim yaşadığım semtinde, sümbüllerin, leylakların üzerinde kelebekler uçuşuyordu.

Nasıl işti bu?

Bu semtlerde yaşayan bizlerin, bu hale gelmemizde hiç mi payı yoktu?

Vurdumduymaz mıydık, neydik biz?

Attım kafamdan bu düşünceleri. Yine kişisel meselelerime döndüm.

İşlerimin hepsini bitirene kadar Defne'yi aramamaya kararlıydım. Akşama doğru eve döndüğümde telefon edecektim. O beni arayacak olursa, hemen duyabileyim diye, telefonu çantamdan çıkarıp titreşim konumuna da getirdim ve ceketimin cebine koydum.

Akşama doğru eve döndüğümde ben tüm işlerimi bitirmiştim. Evin temizliği ile boyası da tamamlanmıştı. Hacer ve ekibi gitmişlerdi. Elimdeki torbaları mutfakta dolaplara yerleştirdim, Defne'nin perdeleri için seçtiğim birkaç eşantiyonu yatağının üzerine serdim. Bir duş aldım sonra. Kendime bir kahve yaptım. Buzdolabında bir avuç makarna kalmış. Yemek yapmaya üşendim bu yorgunlukla. Biraz dinlenip, televizyona bir göz atıp, kızı almaya gidecektim. Oralarda polis yolları kesmiş bile olsa, en kötü ihtimalle otelin kafesinde yerdik bir şeyler. Son dakikaya kadar da telefon etmeyecektim Defne'ye. Görsün bakalım, ilgisizlik mi daha iyiydi, yoksa sevgi ve alaka mı?

Kahvemi alıp televizyonun karşısına kuruldum. Köprüdekiler Taksim'e ulaşmışlardı. Kanallarının çoğunda ise Başbakan her zamanki gibi asabi ve gergindi. Bazı kanallarda yine asabi, gergin, kızgın insanlar konuşuyordu. Şeytan diyordu ki, al kızı, Amerika'ya geri dön! Ama dönersem, ipin ucu büsbütün kaçardı elimden. Sonra oralarda ne yapardım ben, nasıl para kazanırdım? Oysa, kendi şehrimde, kendi evimde hayatımızı yoluna koyduktan sonra, ben tekrar çalışma hayatına dönecektim. Belki bir şirkete ortak olurdum yine, ya da üst düzey yönetici olarak bir reklam şirketinde iş bulurdum. Mutlaka bulurdum da, önce Defne'nin üniversite işini yoluna koymalıydım...

Taksim'e, sabah aküsünü doldurttuğum, yıkatıp pırıl pırıl ettiğim arabamla gitmeyi düşünmedim değil. Ama otelin bulunduğu yerde, park etmenin imkânı yoktu. En yakın duraktan bir taksi çağırdım. Durakta taksi kalmamış! Başka taksi duraklarını denedim... İstanbul'un taksi sorununu unutmuşum, bu saatlerde bul ki binesin. Yoldan çevirmekten başka çare yoktu. Evden ayrılmadan Defne'yi aradım, seni almaya geliyorum demek için. Meşguldü. Kiminle konuşuyordu acaba? Derin'le mi? Yolda olduğumu bildiren bir mesaj attım. Yetinmedim, ikinci mesajı da attım: "Beni otelde bekle!"

Çıktım evden, anacaddeye kadar yürüdüm. Arabalar akıp duruyordu önümden ama taksilerin hepsi doluydu. Epey bekledim. Sonra az uzağımda bir taksinin müşteri indirdiğini gördüm, taksi, taksi diye bağırarak koştum, araba tam kalkarken kapısına yapıştım.

"Nereye?" diye sordu şoför.

"Taksim'e."

"Beşiktaş'tan öteye yolu kesmişler, hanım."

"Üst yoldan gideriz."

"Mecidiyeköy cehennemine girmem ben."

"Sahilden git, gidemediğin yerde inerim."

Bindim. Akşam trafiğinin içinde milim milim ilerlemeye başladık.

Şoför konuşkandı ama benim konuşmaya ne mecalim ne de niyetim vardı. Bir kere, tam olarak neler oluyordu, kavrayabilmiş dahi değildim. Bir yıla yakın bir ayrılıktan sonra, ülkeme döner dönmez bir kargaşanın içine düşmüştüm. Korumam gereken ve laf geçiremediğim bir genç kız vardı elimde. Onun için endişeleniyordum. Yolların kesilmesine, hayatın engellenmesine kızıyor, ayrıca Defne İstanbul'da sıkılacak diye korkuyordum. Parkta üç beş ağaç kesilecek diye insanların ayaklanmalarını, kıta değiştirerek şehrin bir ucundan öteki ucuna yürümeye kalkışmalarını da çocukça buluyordum.

Şoför benim dinlediğimi sanarak bir şeyler anlatıp duruyordu.

Başbakan, parka alışveriş merkezi ve rezidansları mutlaka dikeceğim demiş, içki içen alkoliktir demiş, ne yapacağımı birkaç çapulcuya mı soracağım demiş... Polisten yana mıydı, göstericilerden yana mıydı, onu bile anlayacak kadar dinlemedim adamı.

Ortaköy'ü geçince, ileride işlerin çığırından çıktığı belli olmaya, şoför de söylenmeye başladı. Geri dönmek istiyor, dönemiyordu, çünkü her iki yöne de müthiş bir araç yığılması vardı. Çaresiz beni Barbaros Bulvarı'na kadar getirdi ve meydana girmeden indirdi arabadan, Barbaros'tan yukarı kaçtı. Ben, düz ayakkabı giydiğime şükrederek, Dolmabahçe istikametine doğru yürümeye başladım.

Meydanı kapkara bir bulut kaplamıştı. Dolmabahçe'ye yaklaştığımda gözlerim ve boğazım fena halde yanmaya, göğsüm sıkışmaya başladı. Benim gibi öksüren, tıksıran yüzlerce insan, başı kesilmiş tavuklar gibi kendilerini oradan oraya atıyorlardı. Yerlere düşenleri, birileri kollarından kaldırıyor, çekeliyor, sürüklüyorlardı. Bir iç savaşın içine düşmüş gibiydik. Kalkanlı ve gaz maskeli polisler, biz sokakta yürüyen halkın düşmanıydı da her birimize eziyet etmekle görevlendirilmişlerdi sanki. Sert ve acımasızdılar. Hoyrattılar. İtip kakıyor, yere devrilenlere tekme atıyorlardı. Düşe kalka, kimi zaman ayakta, bazen dört ayak ilerlemeye çalışıyorduk. Nereye gidiyorduk acaba? Sanrım o anda kimse nereye gittiğini bilmiyordu. Dumansız bir yere... Nefes alabileceği bir alana.

Bu korkunç sürüklenme, göğsümdeki dayanılmaz yangın, gözlerimden inen yaşlar ne kadar sürdü bilemiyorum, zaman kavramını kaybetmiştim. Defne bile yoktu gözümde, o sırada. Canımı kurtarmaya bakıyor, nefes almak için yırtınıyordum. Arkadan gelenlerin ittirdikleri yöne düşe kalka, öksüre tıksıra ilerledim... Nereye gittiğimi görmeden, düşünmeden, can havliyle...

Kara bulut kapak gibiydi üzerimizde. İlerlemeye devam ettik. Sonra insanlar birden sağa doğru meylettiler... Bir koşuşma başladı. Aralarında kaldım, ben de onlarla birlikte ilerledim. Zaten kimsenin istediği yöne gitmesine imkân yoktu. Ya hep birlikte sağa, ya hep birlikte sola! Yoksa ezilerek ölürdü insan!

Durduk.

Bir caminin girişinde olmalıydım, iki delikanlı yolumu kesti.

"İçeri girmeden ayakkabınızı çıkarın lütfen," dedi biri.

Babet ayakkabılarımı çıkarıp çantama attım. Tam yanımda, uyduruk bir sedyede kanlar içinde genç bir çocuk vardı, aynı genç onun ayakkabılarını da çıkarttı, ayakkabılığa koydu.

"Neredeyiz biz?" diye sorarken öksürük krizine tutuldum.

"Bezmiâlem Camii'nde. Yaralı mısınız, herhangi bir sıkıntınız var mı?"

"Yok."

"Yanık?"

"Sadece nefes alamıyorum."

"Hanımı Dr. Özcan'ın köşesine yönlendirin."

Gençlerden biri koluma girdi, iki büklüm yürüdüm içeriye ve nihayet rahatça bir nefes çektim içime. Bir köşede toplaşmış, gözleri kıpkırmızı, öksürüp tıksıran insanların yanına götürdü beni. Beyaz gömlekli genç adama, "Kırığı, yanığı yok. Sadece nefes almakta güçlük çekiyor," dedi. Petşişedeki suyu bir tasın içine akıtarak önce gözlerimi ve yüzümü yıkadılar. Uzanmam için yer açtı oturanlar. Sırtüstü yatıp derin nefes alıp vermeye çalıştım. Başım dönüyordu ama yavaş yavaş kendime geliyordum.

Bir müddet sonra doğrulup oturdum, etrafıma baktım. Daha önce içini hiç görmediğim bir camideydim. Tavanda muhteşem bir avize asılıydı. Çoğunluğu genç, ama her yaştan ve cinsten insanlar yerlerde oturuyor, kimileri de yatıyordu. Benim bulunduğum köşe, anlıyordum ki gazdan etkilenenlerin köşesiydi. Karşı tarafta, bir başka genç doktor, bir kızın kolunu askıya alıyordu. Yanıkları olanları ise öte tarafa toplamışlardı. Her içeri giren sedyeye refakat eden genç, 'cerrahi', 'yanık', 'kırık' gibi bir tanımlamayla sesleniyor, sedye o servisi veren uzman doktorun köşesine götürülüyordu. Revire dönüştürülmüş camide, kesinlikle kendine özgü bir sistem, bir düzen vardı. Bir de, imam veya müezzin olduğunu tahmin ettiğim, takkeli bir genç adam ortalıkta koşuşturuyor, dört bir tarafa yetişmeye çalışıyordu. Can pazarı gibiydi burası. Bir başka genç doktor, yerde yatan birine göğüs masajı yapıyordu. Kanlar içindeki gencin ise ilk müdahalesi yapılmıştı, ambulansla hastaneye nakli gerekiyordu ama arkadaşları polisin eline düşer diye izin vermiyorlardı. Burnumu sokup, "Ölecek ama," diyecek oldum.

"Polisin eline düşerse, yaşama şansı hiç kalmaz," dedi başında bekleyen kız.

"Ben polislerle konuşacağım, ilkyardıma gitmesine izin vermelerini rica edeceğim," diye gençleri ikna etmeye çabaladı, müezzin.

Birden gür bir ses duyuldu, "Bir beyin travması geldi... Hemşire olan var mı aranızda, yardım lazım."

Genç bir kadın, topallayarak yürüdü karşı köşeye. Ben de kalktım, beyaz önlüklülerden birinin yanına gittim.

"İlkyardım eğitimi almıştım deprem sırasında. Bir yardımım dokunabilir mi?"

"Siz iyi misiniz?"

"Nefes alamıyordum. Göğsüm hâlâ yanıyor ama başka bir şeyim yok."

"Ortopedi köşesine gidin, orada sargı yapacak birilerine ihtiyaç var." Eliyle ortopedi köşesini işaret etti. Gittim gösterdiği yere. Halının üzerinde bir genç kıvranıyordu. İki kartonun arasına aldığı bacağı sararken, gencin bacağını hiç kımıldatmadan yukarda tutmamı istedi doktor. Hemen diz çöktüm yere. Orada işim bitince, bu kez kafasına mermi fişeği yemiş gencin yanına yolladılar beni, doktora pansumanda yardımcı olmam için.

Saatler ilerledikçe, sadece yaralıların değil, doktorların sayısı da içeri getirilen sağlık malzemeler de fazlalaştı. De-

190

mek ki hastanelerde nöbeti biten doktorları, yaralılara yardım için buraya sevk eden bir mekanizma vardı. Yoksa bu kadar iyi organize edilmiş olabilir miydi, bu hayat kurtaran geçici revir! Ufak tefek sıyrıklara, yaralanmalara hemen pansuman yapılıyor, kırıklar alçıya alınıyor, nefes alamayanlara oksijen maskeleri takılıyor, ağır yaralılar ise ilkyardıma sevk edilmek isteniyordu, ama dışarı çıkabilene aşk olsun! Ben bu hengame içinde pek çok kere aramış ve nihayet ulaşmıştım Defne'ye. Sabahtan beri neler yaşamıştı, bilmiyordum ama ona ulaştığımda, oteldeydi.

"Sakın dışarı çıkma, sakın! Ben yakında sayılırım. Ortalık sakinleşince geleceğim. Bekle beni," diye bağırdım telefonda. "Duydun mu dediklerimi? Defnee, duydun mu? Sakın çıkma. Odada bekle."

Etraftaki gürültüden yanıtını işitemedim ama hiç olmazsa sesini duymuş olmanın rahatlığı içinde, işime döndüm. Bu kez de sırtına gaz fişeği isabet etmiş birinin yarasına pansuman yapan tıp öğrencisine yardım için diz çöktüm yanına.

Bir yaralıdan diğerine koşarken zaman mevhumunu kaybetmiştim. Saat ilerlemiyor olmalıydı, çünkü içerideki manzara hiç değişmiyordu. Yeni gelenler yerde kıvranıyor, boğulurcasına öksürüyor ya da kanlar içinde hareketsiz yatıyorlardı. Bir savaş başlamıştı da ben mi duymamıştım? Düşman işgali altında mıydık? Birileri çıkartma yapmıştı da İstanbul'a, halk karşı koymaya mı çalışıyordu? Belki de öyle olmuştu. Hiçbirimizin haberi yokken gökten tuhaf araçlarıyla inivermişti Marslılar, onlara direniyorduk biz. Sabah güneşli güne uyandığımızda, her şey yolundaydı, sonra akşama doğru art arda patlayan gaz bombalarıyla başlayan uzaylı istilası! Öyle değil ise, neydi bu anlamsız çatışma? Bu can ve yürek acısı, neydi?

Caminin içine birdenbire gaz kokusu yayılmaya başladı, giderek ağırlaştı ve ayakkabılıkların bulunduğu ön bölümde, insanları yaralarına göre doktorlara sevk eden tıp öğrencilerini bile içeri püskürtecek kadar yoğunlaştı. Kapı önüne yığılanlar, önlenemez bir büyük dalga gibi aniden doldular camiye. Belli ki gaz bombasını caminin içine doğru fırlatmışlardı. Aynı anda polisler binanın ön tarafındaki camlarına parmaklarıyla vurmaya başladılar. İçeride büyük bir panik başladı. Doktorların en kıdemlisi, çığlıkları bastırarak bağırdı:

"Cam kenarlarından çekilin. Ortada toplanın ve yere çökün."

Köşelerde tedavi gören hastalara, ortaya taşınmaları için yardım edildi. Şimdi hepimiz ortada bir öbektik. Doktorlar, sağlıkçılar, aralarında ağır durumda birkaç kişinin de bulunduğu yaralılar, tüm camiye sığınmışlar, birbirimize yaslanmış, nefeslerimizi tutmuş, sessizce, başımıza gelecekleri bekliyorduk. Artık içeriye ne gösterici ne de yaralı geliyordu. Demek ki polis barikatları yıkmış, Dolmabahçe'deki insanları geri püskürtmüştü.

Saatime bakmayı akıl ettim. Bir buçuğa geliyordu. Ah, sabaha ne uzun bir zaman vardı!

Uzun bir süre, bu durumu muhafaza ederek, bekleştik. Hiçbir gelişme olmayınca doktorlar, müezzinin polise arabuluculuk yapma teklifini, nihayet kabul ettiler. Müezzin dışarı çıktı. Gözaltı araçlarıyla kapının önünde bekleyen, yüzleri maskeli polislere, içerdeki doktorların hastalarına sahip çıkma isteklerini aktaracaktı. Hayati tehlikesi olan birkaç hasta vardı ki, karakola filan değil ambulanslarla doğrudan hastaneye nakledilmeliydiler.

Biz içerde bekledik. Pazarlığın nasıl ilerlediğini duyamıyorduk. Uzunca bir bekleyişin sonunda, polisin teklifi kabul ettiğini, ancak camiyi boşaltmak için sadece on beş dakika mühlet verdiğini öğrendik.

On beşinci dakikanın sonunda, kesinlikle müdahale edilecekti.

Doktorlara yine iş düştü. Seksene yakın hastayı, on beş dakikada ambulanslara taşımak kolay değildi ama başka seçenek yoktu. Sağlıkçıların ve benim gibi eli ayağı tutanların yardımıyla tahliye başladı. Bir yandan da tıp öğrencileriyle sağlıkçılar, camiden ayrılmadan önce ortalığı temizlemeye çalışıyorlardı. Yerden sargı bezleri, kanlı pamuklar toplanıyor, torbalara dolduruluyordu. Yine de bir miktar süprüntü kaldı, çünkü camiyi tamamen temizleyecek zaman yoktu ve polis elimizi çabuk tutmamız için sürekli anons yapıyordu.

Camiyi boşaltma tamamlandı. Hastalar hastaneye, aralarında benim de bulunduğum göstericiler karakola sevk edildiler. Akşamüstü yedi sularında başlayan kâbus, sabahın üçünden itibaren, bu kez karakolda devam etti.

Sırayla ifademiz alınıyordu...

Sizin ne işiniz vardı o camide sorusunun bana değişik biçimlerde sorulmasına, ben hep aynı yanıtı verdim.

"Yeğenimi bulmaya gitmiştim. Biber gazına maruz kalınca, ben de diğerleri gibi, önüme çıkan camiye sığındım."

...

"Hayır, camidekilerin hiçbirini tanımıyorum. Bazılarıyla orada tanıştım."

...

"Hayır, ne doktorları, ne sağlıkçıları, ne de tıp öğrencilerini tanıyorum."

...

"Aynı soruyu kırk kere sordunuz ama!"

...

"Camiyi kim mi açtırmış? Kapalı mıymış cami? Camiler kapanır, demek! Kim açtırmış, bilmiyorum. Ben sığındığımda, içerde çok insan vardı."

...

"Ne demek niye yardım ettiniz? Camiye sürekli yaralılar, nefes alamayanlar geliyordu. Yardıma ihtiyacı olanlara herkes yardım etti, elbette. İnsanız, eşek değiliz ki..."

...

"Terbiyemi bozmuyorum, efendim. Siz olsanız yardım etmez miydiniz?"

...

"İçeride doktor da vardı sağlıkçı da. Hatta tıp öğrencileri bile vardı ama an geldi üç yüz kişi doluştu camiye. Herkes birbirine yardımcı oldu, haliyle."

...

"Evet, elbette müezzin de bazen yardım etti yaralılara."

...

"Ne yapsın müezzin, içeri giren yaralıyı kovsun mu? Allah'a inanan biri böyle bir şeyi nasıl yapar? Evine giderken tesadüfen gazlanan yaşlılar da vardı camide. İnsaf edin ama, o ne bilsin kim terörist, kim masum?"

...

"Allah aşkına, teröristin ne işi var aramızda? Hepimize bir bakın, teröriste benzeyenimiz var mı?"

...

"Nasıl çıkıp gideydim ki? Sürekli gaz bombası atılıyordu dışarıda. İçeri sığınmasam ölmüştüm herhalde."

...

"Ne! Kaldırım taşı mı sökmek mi? Ben mi? Bu ellerle mi? Güldürmeyin beni, çünkü gülecek halim yok!"

...

"Hayır, yeğenim direnişçi değildi."

...

"Bakın, yeğenim direnişçi filan olamaz, Türkiye'ye geleli ancak birkaç gün olmuştu."

...

"O Amerika'da doğdu, büyüdü. Babası Türk'tür."

...

"Türkçeyi babasından öğrendiği kadar biliyor, sadece."

...

"Taksim'de bir otelde kalıyorduk, çünkü evim aylardır kapalıydı. Çocuğu tozlu eve sokmak istemedim."

...

"İnanmıyorsanız otelin adını vereyim, sorun."

...

"Yetti ama, hep aynı soruları duymaktan bıktım."

...

"Bakın, ben direnişçi değilim. Protestocu ya da hükümet düşmanı değilim. Başbakan'la alıp veremediğim yok. Zaten burada bile değildim, bir yıldır. Ama benden illa terörist yaratacaksanız, yapın gitsin, çünkü çok uykum var. Sokun beni bir hücreye, orada kıvrılır uyurum, hiç olmazsa."

...

"Polisle nasıl konuşulur, ben bilemem. Başıma ilk defa geliyor böyle bir şey. Avukatımı istiyorum."

...

"Avukatıma telefon etme hakkım olmalı."

...

"Avukatımı aramak istiyorum."

...

"Avukatım..."

Bitti! Bazı kâğıtları imzaladım. Karakoldan çıktım. Yangın yerine dönmüş sokaklarda hızlı adımlarla otele yürüdüm. Üçüncü kata çıkıp odamın kapısını tıkladım. Defne açtı, hortlak görmüş gibi bir çığlık attı. Sarıldık birbirimize ve ikimiz de hıçkırarak ağlamaya başladık.

Duşumu aldıktan sonra yatağımızda yan yana uzanıyorduk.

"Çok korktum hala," dedi, "öldün zannettim."

"Daha neler!"

"Geliyorum, dedin, gelmedin. Sana ulaşamadım. Resepsiyondakilerden yardım istedim. Birkaç hastane ve karakola telefon ettiler. Yoksun, yoksun... Bir daha yapma bunu bana."

"Şimdi anladın mı beni?"

"Anladım, hala."

Sarıldım Defne'ye. Öylece yattık bir süre. Çarşafın altına dahi girmeden uyuyakalmışız. Uyandığımızda birbirimize sırtımızı dönmüş, kıvrılmış yatıyorduk ve saat öğleden sonra ikiye geliyordu. Kurt gibi acıkmıştık. Giyinip, yemek için aşağı indik. Otelin kapısının önüne çıktım... Hayret, polis filan yoktu. Defne yanıma geldi, neyle karşılaşacağımızı bilemeden, ürkek adımlarla yürüdük caddeye kadar. Normal bir gündü. Sonra otele geri döndük, ben hesabı ödedim, valizlerimizi aldık, kapıya çağırttığım taksiye binip eve gittik. Oh be! Kâbus bitmişti.

Polislerin, biber gazlarının, tazyikli suların, göstericilerin, protestocuların, direnişçilerin, çadırda yatan serseri çocukların, ağaçseverlerin, her şeyin hepsinin uzağındaydık.

Eve girince hemen televizyona yürüyüp açtım. Borsada %7'lik bir düşüş vardı. Oh olsun diyecektim, diyemedim. Bunu bana diletmeyecek aklım vardı, Allah'a şükür.

❖❖❖

Sonraki birkaç günümüzü Defne ile birlikte, Defne'nin yeni hayatının şekilleneceği mahallede dolaşarak geçirdik. Yeğenime ara sokaklardan hem deniz kenarına hem de Nispetiye Caddesi'ne ulaşmayı, cadde üzerindeki kafeleri, metronun yerini, Levent Çarşısı'nın girdisini çıktısını gösterdim. Odasına perdelik kumaşı birlikte seçtik. Yaz için Akmerkez'deki butiklerden ona birkaç giysi aldık. Evde birlikte yemekler pişirdik. Televizyonda film seyrettik ve en önemlisi, bu süre boyunca internette başvurabileceğimiz fakülteleri saptadık. Aramızda kaçınılmaz olarak, Gezi olaylarına dair bir şeyler konuşuyorduk ama çadırdaki arkadaşlarının lafını artık etmiyordu. Benim camide mahsur kaldığım gece, çok korkmuştu belli ki. O hafta içinde komşum Nerime Hanım'ın, anneannelerini ziyarete gelen torunlarıyla da tanıştı Defne.

Efe ve Ercan, yaşıtlarıydı. Nerime Hanım'ın Defne sayesinde oğlanların İngilizcelerini ilerletme projesi, bir akşam yemeği olarak gerçekleşince hep birlikte hoş bir akşam geçirdik ve yemekten sonra gençler, dondurma yemek üzere çıkıp Etiler'deki kafelerden birine gittiler.

Defne eve saat on iki sularında döndü ve müjdeyi verdi: "Hala, inanmayacaksın! Park yine eskisi gibi çadırlarla dolmuş. Başka şeyler de var... Pankartlar, yemek dağıtan büfeler... Hem sonra her şey bedava orada. Meyve, kola, kek, börek... Hepsi bedava!"

"Ne işin vardı yine parkta?" diye bağırdım kendimi tutamayıp. "Ben sana anlatmadım mı ölümden döndüğümü, Defne? Sen beni ağlayarak sabaha kadar beklemedin mi? Park bitti! Evimizdeyiz artık! Parka gitmek yok!"

"Hala, öyle bir yer değil artık orası. Her tarafta müzikler çalınıyor, şarkılar söyleniyor. Panayır gibi, aynen. Eğlenceli, renkli... Ağaçları kesmekten vazgeçmişler. Kavga bitmiş."

"Odana git Defne," dedim.

"Yarın gel birlikte gidelim, sen de gör," dedi.

Yatağa yattığımda içimde bir sıkıntı vardı. Kâbus geri dönüyormuş gibi bir his!

Ertesi sabah kahvaltıda sabah haberlerini dinliyordum, Başbakan bilmem nerede konuşmuş, konuşmasında Bezmiâlem Camii'ne de atıfta bulunmuş (kulak kesildim), saygısız insanlar camiye ayakkabılarıyla girmişler, içki içmişler, uygunsuz hareketlerde bulunmuşlar.

Yok artık!

"YALAAAN!" diye bağırdım avazım çıktığı kadar. Hırsla zapladım, başka kanala geçtim. Yine aynı haber! Başka, başka kanallarda hep aynı haber! Kanallar söz birliği etmişçesine Başbakan'ın konuşmasının bu kısmını tekrar tekrar veriyorlardı, ben de, "Yalancılar, insafsızlar, Allah'tan korkmazlar," diye avazım çıktığı kadar bağırıyordum. O gece o camide bulunmasam, kesin inanacağım, o kadar içtenlikle anlatıyordu. Ama ben oradaydım, hem de bütün gece. Kim uydurmuş bunları, kim bu hain yalanları nakletmiş ona? Bağlayacaklarını bilsem, açacağım telefonu Başbakanlığa, "Sayın Başbakanım, sizi kandırıyorlar, ben gözlerimle gördüm, öyle bir şey yok! Can pazarıydı orası, can pazarı," diyeceğim. "Birkaç genç doktor, sabaha kadar saatlerce insan hayatı kurtardı orada. O camiye sığınmasak, hepimiz gazdan vefat etmiştik," diyeceğim, bir başbakana, 'gebermiştik,' diyemeyeceğim için. Salona koşup balkona çıktım, komşu uyanmışsa, duygularımı bari onunla paylaşayım diye. Balkon kapısı sımsıkı örtülüydü, perdesi de çekili. Ben de kapıya koştum bu kez, gazeteyi almaya. Gazetede de vardı aynı haber. Okuyunca yine bağırdım, kendimi tutamayarak: "YALAAAN!" E, koskoca Başbakan yalan söylemeyeceğine göre, birileri ona yanlış bilgi veriyor olmalıydı. Ama niye? Halkı bölmek için mi? Pis bölücüler! Hainler!

Sonra Defne'yi gördüm, gözleri fincan gibi açılmış, üstünde geceliği, mutfağın kapısında duruyordu.

"Hala, neden bağırıyorsun böyle? Ne oldu?" dedi.

"Ah Defne, uyandırdım mı kızım seni?"

"Uyandırdın ama zarar yok. Ne oldu hala?"

Dilim varmadı anlatmaya. Utandım. Başbakan yalan atıyordu nasıl diyeydim. Sen beni nasıl bir memlekete getirdin, diye sormaz mıydı bana?

"Gel, kahvaltı et. Çay ister misin?"

"Anlatmayacak mısın?"

"Sonra."

"Kahvaltıdan sonra parka gidelim mi? Efe ve Ercan da gelecekler."

"Gidelim, olur," dedim. Şaşırdı. Ama dün gece şiddetle itiraz ettiğim teklifi, sabah niye kabul ettiğimi sormadı. Gelmedi üstüme.

GEZİ'DE BAYRAM HAVASI

Defne'yle parkta yürüyorduk. Hayretler içindeydim. Bir peri gelmiş, çubuğuyla tüm çadırlara, tüm ağaçlara, tüm insanlara dokunmuştu da, burayı bir masal âlemine çevirmişti sanki. Günlerce süren hoyratlığı hiç yaşamamışçasına, herkesin yüzünde mutlu bir gülümseme, aydınlık bir ışık vardı. Ağaçların arasına gerilen iplerde rengârenk bayraklar, balonlar uçuşuyordu. Yaşanan o korkunç gecenin ardından, yaşananları unutturmak istercesine, sanki topraktan mutluluk fışkırıyordu, ağaçlardan huzur damlıyordu. Kulağı küpelisinden, atkuyruklusundan, solcusundan, en sağcısına, sakallısına, takkelisine genç erkekler... Başörtülüsünden ince askılı bluz ve şort giymişine kadar, saçları beline inen ya da üç numaraya vurulmuş kızlar, öğrenciler, sanatçılar, eşcinseller, dansçılar, orta halliler, yoksullar, zenginler, işsizler, ağaç sevenler, hayvan sevenler ve tıpkı benim gibi çocuklarına destek vermeye gelmişler... İnanılmaz bir insan yelpazesi, rengârenk yayılmıştı çimenlere. Her köşeden ayrı şarkı yükseliyordu. Sağdan akordeon sesi, soldan mızıka, bir başka köşeden flüt, mandolin, darbuka... Portatif masaların üstünde Defne'yi doğrularcasına simitler, kekler, haşlanmış yumurtalar, meşrubat, su ve masaların önlerinde sıraya girmiş, neşeli, güler yüzlü insanlar vardı. Tezgâh üstündeki gıdalar tüketilirken, bir yanda da bağışçılar, eksilenlerin yerine yeni besinlerle takviye yapıyorlardı. Bir müzik grubu, kendine platform hazırlıyordu. Biri yere oturmuş yoga, bir diğeri *tai-chi* yapıyordu. Bir genç kız etrafındakilere bale figürleri gösteriyordu, bir genç adam, jimnastik hareketleri... Bir yazar, yanına yığdığı kitapları imzalayıp dağıtıyordu. Bir ip cambazı, iki ağacın arasına ip geriyor, bir palyaço taklalar atıyordu. On beş-on altı yaşlarında, ayakları tokyolu bir cılız oğlan, elindeki mezurayla bazı tahtaları ölçüyordu. Merak ettik Defne'yle, sorduk ne yaptığını.

"Tam şuraya bir kütüphane yapacaklar da, ölçü alıyorum," dedi.

"Marangoz musun sen?"

"Ben sadece çırağım. Bugün izinliydim, kalktım geldim. Tahtaları da ben getirdim."

"Ustan izin verdi mi?"

"Karşılığını ödedim, neden vermesin?"

"Paran var mı senin?" diye sordu Defne. Eve döndüğümüzde ona böyle sorular sormanın ayıp olduğunu söylemeliydim.

"Cep telefonumu sattım. Buraya benim de katkım olsun istedim," dedi çocuk.

"Aferin sana," dedi Defne.

Artık kullanmadığım eski telefonumu, ertesi gün bu çocuğa getirmeye karar verdim ve neme lazım, Defne'ye, "Katkıda bulunacağım diye, sakın sen de telefonunu filan satmaya kalkışma," dedim. Ayrıldık oradan, halka halinde oturmuş ve derin bir sohbete dalmış gençlerin yanına geldik. Değişik futbol takımlarının formalarını giyiyorlardı. Galatasaraylı, Fenerbahçeli, Beşiktaşlı olduklarını taşıdıkları renklerle belli eden çocuklara, "Siz sahiden dalaşmadan, kavga etmeden konuşabiliyor musunuz?" diye sordum.

"Sadece bu parkta takım ayırımı yok teyze. Burada bir ideal etrafında birleştik biz," dedi.

"Neymiş o ideal?"

"Demokrat ve özgür Türkiye."

"Hepimizin arzusu bu," dedim ben.

"Benim değil," dedi Defne, "bu yeterli değil."

"Nasıl yani?"

"Amerika, demokrat ve özgür. Ama abimle ben, sistemden memnun değiliz. Bizim gibi düşünen çok arkadaşımız var."

Şaşırdım. Bu yaşta bir kızın siyasi fikirleri olacağını hiç düşünmemiş, onunla bu konulara hiç girmemiştim. Konuştuklarımız, önceleri hep babasının sağlığı, ölümünden sonra da çoğunlukla her ikimizin de Kayhan'la olan çocukluk anılarımızdı. Bir de Defne'nin abisine olan hayranlığı vardı; Derin'in dediklerini tekrar eder dururdu ki, ben ona olan özlemine verirdim. Meğer onun da bir siyasi duruşu varmış.

Eve döndüğümüzde, Defne'yle bir yeniyetme gibi değil, siyasi fikirleri de olan bir birey gibi konuşmalıydım. İçimden Defne'ye birkaç soru sormak geldi ama tuttum kendimi. Karşıt görüşlerde olacaksak, yeri bu hayat ve enerji fışkıran park değildi!

Yürüyüşümüze devam ettik.

Parkın içindeki tüm ağaçların üzerinde bel hizasından başlayıp değişik boyutlara yükselen sloganlı pankartlar, insanı yerlere yatıracak kadar komik karikatürler, espriler ve şiirler asılmıştı. Bazıları kaba benzetmeler içeriyordu ama çoğunluğu zekâ ve ince mizah örneğiydi. Mesela, ben en çok RABBİME SORDUM, DİREN GEZİ DEDİ'ye güldüm.

Defne bundan hiçbir şey anlamadı haliyle. O da en çok BİBER GAZI SIKMANIZA GEREK YOKTU ZATEN DUYGUSAL ÇOCUKLARIZ'ı sevdi. İkimizin birlikte beğendiğimiz yazılar da vardı.

ŞİMDİ ANLADINIZ MI NİYE BİZİ TÜRK-KÜRT-ALEVİ-SÜNNİ DİYE AYIRDIKLARINI??? BİRLEŞİNCE BÖYLE OLUYORUZ ÇÜNKÜ!!! ile NASIL BAŞ EDECEKLERİNİ BİLEMEDİKLERİ TEK ŞEY ŞİDDET DIŞI EYLEMLER VE MİZAHTIR'ı ve BIRAKSAN AĞAÇ SADECE GÖLGE YAPACAKTI OYSA ŞİMDİ TARİFİ İMKÂNSIZ MEYVELER VERDİ, Defne'nin ve benim de çok hoşumuza gidenlerden birkaçıydı.

Yazıların hiçbirini kaçırmamak için parkta saatlerce dolanmamıza rağmen, yine de hepsini okumayı başaramadık.

Karnımız acıkmıştı, satış noktalarından birinde bir şeyler atıştırdıktan sonra Defne, Efe'yle telefonlaştı ve az sonra belli bir noktada onunla buluştuk.

Defne, Efe'yi "çadır arkadaşlarım" dediği çocuklara tanıştırmak istiyordu. Hiç ses etmeden yürüdüm peşlerinden. Koyu nefti çadır, taş yolun sonuna doğru, yine eski yerine yakın bir noktaya kurulmuştu. Çocuklar halka olmuş, bir ağız mızıkası ve bir gitarla müzik yapıyorlardı.

"Artık bana müsaade çocuklar, ben biraz yoruldum," dedim.

"Eve mi döneceksin, hala?" diye sordu Defne.

"Eve döneceğim."

"Ben biraz daha kalayım."

"Kal ama akşam yemeğine eve dön. Metroya biner, Levent'te inersin." Sonra ona ayrıntılı olarak takip edeceği yolu tarif ettim. Diğerlerine belli etmeden cebine biraz para koydum ve Taksim Meydanı çıkışına doğru yürümeye başladım. Ne de olsa Defne'nin yanında tanıdığım biri vardı, içim daha rahattı bugün. Farkında olmadan bir şarkı bile tutturmuşum, ortama uyarak.

Gençler pankartlarla, rengârenk boyanmış bidonlarla Taksim Meydanı'nı çevreleyerek, orayı bir kurtarılmış bölgeye çevirmişlerdi. Yürürken ters çevrilmiş, sprey boyayla rengârenk boyanmış ve üzerine DİREN GEZİ yazılmış bir polis aracının, sağlık malzemelerini sayarak kutulara dolduran gençlerin, halka gazdan korunma ve ilkyardım dersleri veren gönüllü sağlıkçıların, ayrıca sağda solda broşür dağıtanlar ve namaz kılanların yanlarından geçtim.

Merdivenlerin başına geldiğimde, durup etrafıma baktım. Birkaç gün önce şahit olduğum olaylar hiç yaşanmamışçasına, müthiş bir pozitif enerji fışkırıyordu, parktan. İnanılmaz bir renk, çeşitlilik, aynı zamanda kardeşlik ve dayanışma ruhu arenasına dönüşmüştü park. Fark edilmek ve kişilik haklarına saygı isteyen insanların eylem mekânı olmuştu.

Parkın ruhunda, ne başkaldırı vardı ne boyun eğiş. Ne asiydi buradaki gençler ne de ezik. Yeni bir Türkiye yaratılacaksa, mayası buradaydı işte. Özgür, iyi niyetli, sevecen, zeki, dinamik ve adil olmaya çalışan insanların buluşma noktasıydı.

Defne'yi ilk kez gönül rahatlığıyla geride bırakıp çıktım parktan. Evime gitmek için metroya yöneldim.

Birkaç gün böyle geçti. Gençlerin çadırlarına karışan olmadı. Her gün orada binlerce insan buluştu, konuşmalar yapıldı, sivil toplum örgütleri kurdukları masalarında broşürler dağıttılar, yazarlar kitap imzaladı, şarkıcılar şarkı söyledi, dansçılar dans etti, tiyatro grupları oyun sergilediler. Orası artık bir şenlik ve şölen alanıydı. Bir panayırdı âdeta! Defne her gün gitmese de, iki günde bir mutlaka uğruyordu parka. Bazen ben de takılıyordum ona.

Bu arada, Bezmiâlem Camii'nde, o gece yaralılara yardım etmek için çırpınmış olan müezzinin bir başka camiye tayin edildiğini okuduk, gazetelerde. Zavallı adam altı saat boyunca sorguya çekilmiş, onca baskıya rağmen, o gece camide içki içildi, uygunsuz hareketler yapıldı asla dememişti. Demek yüreğinde Allah korkusu olan has Müslüman bulmak hâlâ mümkündü yurdumuzda.

Cuma günü, Defne eve heyecanlı döndü. Kendilerini Antikapitalist Müslümanlar diye tanımlayan grup, Cuma namazını parkta kılmış, namaz kılmayanlar da onlara kimse zarar vermesin diye çevrelerinde nöbet tutmuşlardı.

Aynı akşam, televizyon kanallarında Ankara, İzmir, Eskişehir'de tırmanan olayları ve polisle köşe kapmaca oynayan halkı seyrettik. Tunus'tan aynı gün dönen Başbakan, havaalanında toplanan ve sayısı on binleri geçen, yurdun dört bir köşesinden getirilmiş kalabalığa çok sert bir konuşma yaptı. Cami penceresinin pervazına bırakılmış bira tenekesinin düzmece olduğunu göz ardı ederek, cami olaylarına değindi yine. Doğaçlama yapıyor, ellerini, sesini iyi kullanıyor, bu yolla en hassas duyguları şahlandırıyordu. İyi aktördü. Gençliğinde şehir tiyatroları ona bir burs vereydi, Türkiye'nin mi kaderi değişirdi, tiyatronun mu, bunu sık düşünür olmuştum.

Başbakan'ın sert konuşmasını dinlerken burnuma kötü kokular da gelmedi değil. Defne'ye ertesi gün parka gitmemesini rica ettim ama dinleyen kim! Ertesi gün Taksim Dayanışma Platformu'nun Taksim'de geniş kapsamlı bir mitingi varmış. Arkadaşlarına söz vermiş, gitmezse ayıp olurmuş. Kalktı gitti. Korktuğum başıma gelmedi neyse ki! Polis baskını filan olmadı. Akşam yemeğini mutfağımızda, birlikte yiyebildik.

Sonraki birkaç gün Defne, Gezi Parkı'yla ilgilenecek zamanı bulamadı, çünkü bazı üniversitelerde görüşmelere gitmesi gerekiyordu. İçimden ona çok uzaktaki üniversitelerden uyduruk randevular alayım, vaktini yollarda harcasın, parktan uzak dursun diye düşünmedim değil ama elbette yapmadım böyle bir şey.

Korktuğum, 11 Haziran'da başıma geldi. Polis Taksim'e girişi engelleyen barikatları aşarak meydana girdi ve kendine molotof kokteyli ile havai fişek atan göstericilere sert müdahalede bulundu. Allah bana acımış! Bir gece önce Defne'nin yediği dondurma yüzünden midesini bozulmuş, tuvalete taşınmaktan sokağa çıkacak hali kalmamıştı. Ertesi gün gazetelerde, Taksim'e polis müdahalesini protesto eden elli kadar avukatın, Çağlayan Adliyesi önünde oturma eylemi yaptığını ve gözaltına alındıklarını okuduk.

Bir gece sonra, Defne'yi evde tutamadım. Nerime Hanım'ın torunları Efe ve Ercan'la birlikte, piyanosunu Taksim Meydanı'na taşıtarak, direnişçilere bir dinleti sunacak olan İtalyan piyanist David Martello'yu dinlemeye gitti.

İstanbul bir süredir, tencere tava eylemlerinin gürültüsü dışında, sakinleşmiş görünüyordu. Bu nedenle ertesi akşam, Martello'nun meydandaki ikinci konserine ben bile katıldım ve kendime göre gözlemler yaptım. Gezi Parkı'nın çocukları, benim gençliğimin siyasi çekişmelerinin çok uzağındaydılar. Partilerle, particilikle işleri yoktu. AKP taraftarları kendi partileri için canlarını vermeye hazır olabilirlerdi ama Gezi'deki gençlik, adil, vicdanlı politikalar için parti gözetmezdi, eminim. İnsana değer verenden yana olurdu. Eğitim, sınıf, ırk, din ve mezhep demeden, her gelir sınıfından gencin bu parkta buluşmuş olması da bu yüzdendi.

Başta hiç onaylamadığım Gezicileri tanıdıkça, giderek daha çok seviyordum.

İstanbul'da olaylar durulmuştu ama bitmemişti. Başka şehirlerde yaşanan ölümler, sert polis müdahaleleri, hepimizi geriyordu.

Birleşmiş Milletler, Uluslararası Af Örgütü gibi kurumlar, Hükümet'e halkına orantısız güç kullandığı için çağrıda bulunmuşlardı ama Hükümet cenahında bu çağrıları ipleyen olmamıştı. Belediye Başkanı'yla bazı politikacıların alçak sesle dile getirmeye çalıştıkları yumuşak mesajlar, Başbakanın hoyrat üslubunun gümbürtüsünde duyulmuyordu bile. Yine de Başbakan, Taksim Dayanışma Platformu'nun yanı sıra, İstanbul Tabipler Odası, Mimarlar Odası üyeleriyle, hatta bazı sanatçı ve oyuncularla ikinci kez bir araya gelmeyi kabul etmişti. Sabahtan akşama, Gezi eylemini takip eden komşum Nerime Hanım'a göre, bu iyiye işaretti.

Ne kadar iyi bir işaret olduğunu, ertesi gün gördük.

Başbakan'ı televizyondan izliyordum. Her konuşmasında olduğu gibi sinirli ve kızgındı. Ben onu sonuna kadar dinleyemeye dayanamıyorken, onun bu kadar asabiyet ve öfkeye vallahi iyi dayanıyordu yorgun bedeni. Televizyonu tam kapatırken, "Parkı siz boşaltmazsanız, biz boşaltmasını biliriz!" dediğini duydum ama hiç aldırmadım. Karnım toktu palavralara. Yok efendim Kabataş Meydanı'nda gün ışığında türbanlı bacımızın üstüne işeyenler, yok elleri eldivenli üstleri çıplak sapıklar... Başbakan'ın her zaman doğruları söylemediğini tecrübeyle biliyordum ve zaten park konusu da artık yalama olmuştu. Gezi Parkı, lunaparka dönmüştü. Kimse kimseye zarar vermiyordu. Madem bu kadar değişik ortamlardan gelip birbirini yemeden, yan yana, kardeş kardeş ilk kez oturuyordu bu coğrafyanın çocukları, varsın otursunlar, şarkılarını türkülerini söylesinler, şiirlerini kitaplarını okusunlardı. Havalar soğumaya başlayınca nasılsa döneceklerdi evlerine.

Bu yüzden, ertesi gün yine parka gitmeye kalkıştığında hiç itiraz etmedim Defne'ye. Zaten itiraz etmenin de faydası yoktu, bildiğini okuyordu. Üniversitelere başvuru görüşmelerinden henüz sonuç alamadığı için kafası da bozuktu biraz. Yine çadır arkadaşlarım dediği çocuklarla buluşacaktı. O akşam bir oyun mu sergilenecekmiş, ne! Saat beşe doğru kalktı gitti. Ben evimdeydim. Ütü yaparken radyoyu sonuna kadar açmış, müzik dinliyordum. Saat beş buçuk sularında başlayan ve tekrar eden 'Park'ı Boşaltın Arkadaşlar' anonslarından haberim olsa, Defne'ye mutlaka telefon ederdim. Yemin billah verirdim, yalvarır, ayaklarının altını öperdim, getirtirdim onu eve. Ama olup biteni öğrenmekte geç kaldım.

Kapım hızlı hızlı vurulurken, bir yandan da kapı zili çalıyordu. Koştum, yüreğim ağzımda açtım kapıyı. Karşımda benden daha beter durumda Nerime Hanım ve damadı vardı.

"Ne oldu?" dedim, elim kalbimin üzerinde.

"Çocuklar dönmedi. Polis baskın yapmış."

"Ne?!"

"Biz oğlanlara ulaşamadık. Sen Defne'yi aradın mı?"

İçeri koşup telefonumu kaptım geldim, kapı önünde tuşladım Defne'yi.

"Girsenize," dedim komşularımı içeriye davet etmeyi geç akıl ederek. Ben Defne'yi çaldırırken yemek masasının etrafındaki sandalyelere çöktüler. Defne'ye ulaşılamıyordu! Cep telefonunun icadından beri, en nefret ettiğim sözdü bu! Gözlerimde yaşlar titreşerek baktım Nerime Hanım'la Ersin'e.

"Ne yapacağız?" diye sordum.

"Vallahi, ben Taksim'e gitmeyi deneyeceğim. Nerede oldukları belli, gider bulurum çocukları," dedi Ersin.

"Ben de geliyorum. Bir dakika, çantamı alayım."

"Sen ne yapacaksın kadın başına? Kal burada," diyen sesini duydum gibi geldi Nerime Hanım'ın.

Yanıtlamak yerine, merdivenleri atlayarak inen adamın peşinden koştum.

GEZİ'DE SON GECEMİZ

15 Haziran

Biz Şişli istikametinden gelerek, arabamızı Harbiye'nin arka sokaklarına park edip, binbir güçlük ve dalavereyle polis engelini aşıp Taksim'e vardığımızda, Gezi Parkı yeni talan edilmişti. Bir yoksul marangoz yamağı çocuğun, cep telefonunu satarak yaptığı ilkel kütüphane dahil olmak üzere, her şey yerle birdi. Sonradan bin kişi olduğunu öğrendiğim temizlik ekibi, o toz dumanın içinde, ufolardan inmiş uzaylılar gibi yüzlerinde maskeler, ellerinde eldivenlerle, flamaydı, pankarttı, çadır parçasıydı, ne var ne yoksa toplamakla meşguldüler.

Yıkım anını kaçırmıştık ama polis zulmünün şahidi olduk. Biber gazından, plastik mermiden, tazyikli sudan ka-

212

çanlar ve yaralananlar ancak insaniyet eşiği yüksek işletmecilerin otellerine, kafelerine sığınabilmişlerdi. Valilikten kapılarını kapatma ikazını alan çoğu işyeri, bu ileri demokrasi ortamında çok korktukları için emre uymuştu. Divan Oteli ise kapısını kapatmamıştı. Kaçışan gençlerin çoğu oraya sığınmıştı. Biz Divan Oteli'ne turuncu bir bulutun içinden geçerek ulaşabildik. Otele vardığımızda, evlatlarını aramaya çıkmış aileler, otele ikinci dalga olarak çıkartma yapmakla meşguldüler. İçeri girmeye çalışanlara coplarıyla saldıran yüzü maskeli polise, otel müşterisi olduğumuzu anlatmaya çalıştık. İçeriye sırtımıza birkaç sopa yiyerek, döner kapıya diğer insanlarla sıkışarak girebildik nihayet.

Ben daha önce Dolmabahçe'deki camide bu manzaranın çok daha beterine şerbetli olduğum için, nispeten sakindim ama Ersin, kimi nefes almak için çırpınan, kimi kan revan içinde, kimi sinir krizi geçiren, kimi de acıdan kıvranan insanları görünce bembeyaz oldu ve birden yere, dizlerinin üstüne kapaklandı. Yanına çöktüm. Gömleğinin düğmelerini çözdüm ve etrafta boşuna bir gayretle Bezmiâlem'deki doktorları aradım. Onlar yoktu. Bir başka genç doktor koştu imdadıma.

"Bayılmış," dedi. Birkaç saniye sonra Ersin kendine gelirken, genç doktor tansiyonunu ölçüyordu.

"Geçmiş olsun. Ani tansiyon düşmesi... Biraz dinlenin ayağa kalkmadan önce."

"Çocuklarımızı bulmamız lazım."

"Ersin, sen birkaç dakika daha dinlen burada. Ben bu kattakilere tek tek bakıp döneceğim," dedim.

Doktor, Ersin'e bol tuzlu ayran içmesini söyleyip durumu daha vahim olanlara bakmak üzere uzaklaştı yanımızdan. Ben yaralıların arasında gezindim. Defne, Efe ve Ercan lobide değillerdi. Ersin'in yanına döndüm. Yüzüne yeniden renk gelmişti.

"İyiyim ben," dedi.

"Kalk o halde, aşağı kata bakalım. Orada da çok insan varmış."

Efe'yi asansörlerin orada bulduk. Sırtını duvara dayamış, gözlerini yummuş, beyaz bir peçeteye sarılı buzu eliyle burnun üstünde tutuyordu, sağ gözünün altı mosmordu ve burnundan akan kan kurumuş, dudaklarının üstünde bıyık gibi duruyordu.

"Aman Allahım!" dedi Ersin ve ben onun bir kere daha bayılmasından korktum.

Ama bayılmadı. Oğluna yürüyüp yanına diz çöktü, "Efe... Aç gözlerini oğlum," dedi.

Efe babasını yanında görünce ağlamaya başladı. Baba oğul sarıldılar. Ben ayakta, sabırsızlıkla buluşma heyecanının dinmesini bekledim. Sonra, "Defne nerede?" diye sordum.

"Defne'yle Ercan otele giremediler. Caddeyi geçerken Polis Ercan'ı fena coplamaya başladı... Defne polise tekme atıyordu... Sonrasını göremedim, biber gazı attılar yine..."

"Yani polis mi aldı onları?"

"Bilmiyorum Handan Teyze. Belki hastanededirler. Dayak yiyorlardı çünkü."

"Ne?! Ne diyorsun Efe?!"

"İlkyardıma bir bakın isterseniz."

Baba oğlu orada bırakıp kapıya koştum. Ersin arkamdan sesleniyordu ama kimseyi dinleyecek halim yoktu. Döner kapıdan dışarı çıktım. Burun buruna geldiğim polisi iteledim. Polis kolumdan tuttu.

"Kızım ilk yardımdaymış. Bırakın beni!"

Sivil giyimli bir adam, başıyla bırak işareti verdi.

"İlkyardım nerede, biliyor musunuz?" diye sordu, başıyla işaret veren.

"Evet, evet. Sıraselviler'de..."

Koşmaya başladım. İnsanüstü bir kuvvetle, önüme çıkanı ite kaka kendime yol açarak koşuyordum.

Birden biri daha tuttu beni kolumdan. Hızla çektim kolumu.

"Hanımefendi, ben polis değilim... Bir dakika yahu..."

"Ne var?" dedim.

"Polisle konuşmanızı duydum, hemen koşmaya başladınız, yoksa söyleyecektim... Sıraselviler'de hastane yok artık... Kapandı o."

"Etfal'e mi gideyim?" diye sordum nefes nefese.

"Hayır. Aya Triada Kilisesi'ni biliyor musunuz?"

"Şu meydanın oradaki Rum kilisesi değil mi?"

"İşte onun tam karşısına düşen sokakta, Maden Mühendisleri Odası var. Alt kat, revir haline getirildi. Polis baskınlarında yaralanan çocuklarımızı orada tedavi ediyoruz. Hastanelere giderlerse kayıt tutuluyor, sonra başları polisle belaya giriyor. Siz oraya bakın. Kızınız yaralandıysa, oradadır."

"Teşekkür ederim. Çok ama çok teşekkür ederim."

Koştum yine. Defalarca biber gazı püskürtülmüş meydanın kızıl bulutunun içinden geçerek, gözlerim, nefes borum yanarak koştum. Tam kilisenin bulunduğu sokağın köşesini dönerken bir inilti duydum. Toz dumanın içinde hayal görür gibi... ne hayali, bir kabus görür gibiydim... Yerde yatan birini iki polisten biri, acımasızca copluyor, diğeri tekmeliyordu. Birden unuttum Defne'yi, adamların üstüne yürüdüm.

"Ne yapıyorsunuz be? Öldüreceksiniz adamı."

"Karışma sen. O adam değil."

"Aman Tanrım... Bir çocuk bu... Durun durun..."

"Bir terörist o! Halk düşmanı! Kaldırım taşlarını sökmeye çalışıyordu."

Polisin maskeli olanı itti beni. Bir elimle beni itenin koluna yapıştım, diğer elimle maskesini çektim ama çıkartamadım.

"Sen de mi dayak istiyorsun?" dedi.

"Vur! Haydi bana da vur! Gücünüz bacak kadar çocuklarla, kadınlara yetiyor, değil mi? Sizi gidi vicdansızlar! Sizi gidi..." Küfrümü içimden ettim.

"Tutukla şunu," dedi öteki polis.

"Tutukla elbette. Ne yaptı diye soranlara, biz bir çocuğu döverek öldürüyorduk, bize mani olmak istedi, dersiniz. Ben de ülkenin bütün televizyonlarında haykırırım tutuklanma sebebimi."

"Bırak Allah'ın belası karıyı, gitsin," dedi öteki polis.

"Bak bacım, var git, başını belaya sokma."

"Çocuğu da alacağım."

Polisler okkalı birkaç tekme daha savurdular yerde yatana, sonra kızıl sisin içine doğru yürüyüp kayboldular. Eğildim, büzüşerek küçük bir torba haline gelmiş oğlanın yanına çöktüm.

"İyi misin?" dedim.

"Midem bulanıyor," dedi.

"Kımıldama. Burada yat, sana doktor yollatacağım."

"İstemez. Hastaneye gitmem."

"Ben hastane mi dedim sana? Yat burada, kımıldama, tamam mı?"

Doğruldum, koştum Maden Mühendisleri Odası'nın binasına. Buldum reviri. Kapıyı açana yalvardım:

"Genç bir çocuk beyin kanaması geçiriyor olabilir, az ileride, caddeye çıkarken hemen o köşede... dövüyorlardı... N'olur gidin bakın, n'olur."

İçeriye seslendi bana kapıyı açan görevli. Beyaz önlüğü kir pas içinde yorgun bir adam geldi. Konuştular. Adam doktor gömleğini çıkarıp dışarı çıkarken ben başka birilerine Defne'yi soruyordum. Beni koridorda bir sandalyeye oturttular. Bekledim.

"Kızınız burada değil," dedi birisi.

"Nereden biliyorsunuz?"

"Adı kayıtlarda yok."

"Belki baygındı, adını veremedi."

"Baygınlık vakası hiç gelmedi."

"Yalvarırım dolaşayım içeride. Belki yaralıların arasındadır."

"Buyurun, bakın."

İçeri yürüdüm. Kafalarına, kaşlarının üzerine dikiş atılmış, gözlerine pansuman yapılmış yaralıların, yüzlerine oksijen maskesi takılmış astımlıların arasında, yerdeki kanlı pamukların, gazlı bezlerin üzerine basmamaya gayret ederek, kullanılmış enjektörleri ayağımla iteleyerek dolandım.

Defne yoktu. İçeri ilk girdiğimde oturduğum sandalyeye yığılıp ağlamaya başladım. Yanıma esmer bir kadın yaklaştı.

"Neyiniz var?" diye sordu.

"Kızım kayıp. Parktaydı..."

"Divan Oteli'ne baktınız mı?"

"Orada yok, baktım."

"Karakola sorun diyeceğim ama orada değilse, boşu boşuna adını vermiş olacaksınız... Kızınız arardı sizi tutuklansa, öyle değil mi?"

Ah aptal ben! Panik anlarında kafası tamamen duran, aptal!!

Çantamın en dibinde bulduğum telefonu çıkardım. Şarjım bitmek üzereydi. Allahım, ne olur bana yardım et diye dua ettim, Defne'yi bulmadan bitmesin şarjım. Yanlış basmamak için, büyük bir dikkatle tuşladım.

Çaldı... Çaldı... Açıldı sonunda.

"Kiminle görüşüyorum," dedi bir erkek sesi. Aman Tanrım!

"Asıl ben kiminle görüşüyorum. Defne'nin telefonu değil mi?"

"Ben Beyoğlu Emniyeti'nden Komiser Namık."

"Kızımın telefonu sizde ne arıyor?"

"Kızınız şu anda sorguda. Telefonu da bende."

"Ne sorgusu? Ne diyorsunuz Allah aşkına? Kızıma ne yaptınız? Yaralı mı?"

"Siz en iyisi bir an evvel gelin..."

"Yaralı mı?" diye bağırdım sözünü keserek.

"Mühim bir şey değil. Birkaç darbe almış," dedi. Şarjım bitiyordu. Adresi sordum... Tam veremeden kapandı telefon. Öldü.

Ben de öleyim! Tıpkı şu elimde tuttuğum telefon gibi sönsün ışığım. Kayhan, kardeşim, affet beni, kızına sahip çıkamadığım, koruyamadığım için affet. Madde bağımlısı anasının veya Katmandu'da ruhunu arayan abisinin yanında kalsa, bunların hiçbiri gelmeyebilirdi başına! Sen evlenilecek kadının düzgününü seçemediğin gibi, kızını bırakacağın velinin de iyisini seçemedin, be Kayhan! Keşke ölmeseydin. Keşke o hasta yatağında, bu kız otuz yaşına gelene kadar yataydın, benden daha iyi sahip çıkardın ona. Ben, beceriksiz, aptal, eşek ben... Kızını koruyamadım. Kollayamadım...

"Neyiniz var? Titriyorsunuz? İyi misiniz siz?"

Hıçkırdım, "Kız karakoldaymış... Ne yaparlar ona?"

Esmer kadın, "Size su getireceğim, için, sonra hemen gidin, bulun kızınızı," dedi.

"Dövmüşler. Ya bir şey olduysa?"

"Olsa söylerlerdi. Kaşı filan patladıysa, buraya getirin. Ben burada olacağım. Dr. İncila dersiniz."

Galiba bir bardak su getirdi, bana o. Galiba suyu içtim. Galiba yürüyerek gittim Beyoğlu Emniyeti'ne. Galiba hâlâ yaşıyordum, bir kıza sahip çıkamayan geberesice ben!

KARAKOLDA

"Defne Dinçer kızınızmış, öyle mi?" diye sordu polis.

"Yeğenim," dedim.

"Hanımefendi, bu çocuğun anası babası yok mu? Niye sokağa salmışlar kızlarını bu ortamda?"

"Defne çocuk değil. On sekizini doldurdu. Annesi babası da yok."

"Nasıl yok? Ölmediler ya?"

"Öldüler."

Bir sessizlik oldu. Genç polis önüne baktı.

"Nasıl öldüler?"

"Babası birkaç ay önce kanserden vefat etti Amerika'da. Kızını bana emanet etmişti, aldım getirdim buraya."

"Türkçe biliyor, değil mi?"

"Aksanlı konuşuyor ama Türkçesi yok diyemem."

"Ve o yarım Türkçesiyle gösteriye katıldı. Neden? Kim önayak oldu buna?"

"Kimse önayak olmadı. Taksim'de bir otele inmiştik..."

"Neden Taksim'e?"

"Ben nereden bileyim olacakları. Evim bir yıldır kapalıydı, ben hasta kardeşimin yanındaydım. Döndüm, evi temizletene kadar otele yerleşeyim dedim, birkaç gün için. Kız da tam karşıdaki parkta ağaçların... Ay işte, genç bunlar, çevre mevre, birtakım hassasiyetleri var. Ondan dolayı yani. Siyasi bir tutum değil. AKP'ydi, CHP'ydi anlamaz, bilmez bile onları. Lütfen, verin kızı gideyim."

"Polise vurmuş, küfür etmiş."

"Polis de ona vurmuş ama."

"O bir mi polisle?"

"Değil. O genç, yanlış yapabilir. Polisin özenli olması lazım."

"Nerede varmış böyle polis?"

"Medeni ülkelerde."

"Bir şey mi ima ediyorsunuz?"

"Polisin çok sert olduğunu. Daha az önce gözlerimle gördüm, kıyasıya dövüyordu bir çocuğu."

"Nedeni vardır."

"Nedeni varsa mahkemeye götürür. Dövmesi şart mı?"

"İşte sizin kız, tam da söylediğiniz gibi, mahkemeye götürülmek üzere tutuklandı."

"Ne demek tutuklandı? Ne yaptı ki tutuklandı?"

"Tutuklandı demek, mahkemeye çıkana kadar gözaltında kalacak demek. Ne yaptığına gelince, mahkemede öğrenirsiniz."

"Kızımı görmek istiyorum. Avukatımı istiyorum."

"İfadenizi almayı tamamlamadım henüz..."

Bana Defne'yle ilgili bir yığın soru sordu sonra. Nerede okuyordu? Hangi derneklere üyeydi? Ülkeye ne zaman giriş yapmıştı? Arkadaşları kimdi? Efe ve Ercan'ın dışında, ki onların da soyadlarını bilmiyordum, çadır arkadaşlarından hiç söz etmedim. Defne'nin birkaç gün müzik ve neşe fışkıran parka gittiğini (elbette gidecekti, ne yapsındı ben evimizi temizlerken) ama biz eve yerleştikten sonra, ilk kez bu gece... bunları anlatıyordum ya, içimde bir korku vardı, acaba o da aynı şeyleri mi söylemişti polise. Anlattıklarımız tutmazsa, kızın başını belaya sokabilirdim. Ben birden suskunlaştım. Defne'yi görmek istiyorum diye tutturdum. Avukata telefon etmek de istiyordum ama önce telefonumu şarj etmem lazımdı.

"Sizin telefonu kullanabilir miyim?" diye sordum.

"Buyurun," dedi, masanın üzerindeki telefonu bana çevirdi. Neydi avukatın numarası? Unutmuş gitmişim. Bakmıyoruz ki artık numaralara. Parmağınla dokun, bitti.

"Numarayı hatırlayamadım. Cep telefonuma bakayım."

"Şarjı bitmemiş miydi?"

" Ah evet."

Ben Alzheimer oluyorum. Bunca stresi kaldıramadım, erken bunama başladı bende. Ben Defne'ye bakacakken, o bir bunak kadına bakacak şimdi. Gözlerimden ip gibi yaş iniyordu.

"Niye ağlıyorsunuz?" dedi polis.

"Defne'yi görmek istiyorum."

"Sorgusu bitsin, görüştüreceğim."

"Alıp gideceğim kızımı."

"Alamazsınız. Duruşmaya kadar bizde kalacak."

"Neden ama?"

"Çünkü o gözaltında."

"Eve gelemeyecek yani benimle?"

Başını salladı hayır anlamında.

"Bakın bu mümkün değil," dedim, "Defne bana emanet. Onu burada bırakamam. Ben nereye, o oraya! Babasına söz verdim."

"Sizi de tutuklayalım bari." O gülümsüyordu. Bana hiç komik gelmedi.

"Her şeyi anlattım. O suçlu değil. Öğrendiniz işte. Bırakın kızı, götüreyim. Ne yapacaksınız ona?"

Sanırım bağırmaya başladım. Başımıza birileri toplandı.

"Aaa, o kadın değil mi bu?" dedi yanağı çıban izli adam.

"Ta kendisi..."

"Siz kimsiniz?" dedim.

"Bize de bağırdın, sen hanım. Senin yerin karakol değil ama neyse..."

Tanıdım sesini.

"Sen osun! Yüzünde maske vardı ama sesinden tanıdım seni. Yerde yatan çocuğu öldüresiye tekmeliyordun. Öldü o çocuk, biliyor musun? Katil oldun! Şahidin de benim."

Benimle konuşan Komiser Namık ayağa kalktı. Çocuğu öldürdüğünü söylediğim polisi kolundan tuttu, "Gel benimle," dedi.

Bulunduğumuz odadan çıkarlarken arkalarından bağırdım "Çocuk katilleri! Çocuk katilleri!"

Bir anda karakoldaki tüm sesler düştü, derin bir sessizlik oldu birkaç saniye için... Tanrım, yalan söyledim! Çocuk belki de ölmedi. İnşallah ölmedi. Ama hakikati bilmeden, attım öyle ben! O polisin başını yaktım. Ne yaptım, Allahım! Koskoca Başbakan camide içki içildi dedi mi, demedi mi, içilmediği halde? O yalan söyler de vatandaş söyleyemez mi? Söylemez! Söylememeli! Başbakan'ı bilemem ama ben vicdan azabından ölürüm, polise bir şey olursa. Buradan çıkınca doğru o revire gitmeliyim, Defne'yi de Dr. İncila'ya götürecektim zaten, oradakilere sorarım çocuğa ne olduğunu. Belki de ölmüştür.

Komiser Namık geri geldi. Bana ölen çocukla ilgili soru sorarsa doğruyu anlatmaya karar vermiştim ama o konuya hiç girmedi.

"Kızınızın, pardon, yeğeninizin sorgusu bitmiş. Sizi görüştüreceğim ama alıp gidemezsiniz. Merak etmeyin, yurda giriş tarihi kontrol edilecek. Kaldığınız otelden bilgi geldi bile. Çok büyük bir ihtimalle tutuklanmaz, serbest kalır."

"Madem öyle, şimdiden bırakın kızı."

"Olmaz. Başkaları da var. Herkese eşit muamele yapmak zorundayız. Duruşmaya kadar bekleyeceksiniz."

"Duruşma ne zaman?"

"En fazla, bir on gün sonra."

"Ne! Bu mümkün değil ama... Olamaz. Olamaz."

"Handan Hanım, bağırmanın size faydası yok, zararı var. Şimdi Defne ile görüştüreceğim sizi, sakın kıza umut vermeyin. Duruşmaya kadar, o burada, nezarette kalacak. Gelin benimle," dedi.

Kalktım, bacaklarımın beni nasıl taşıdığına şaşarak yürüdüm peşinden. Köhne binanın bir kat aşağısında küçük bir odaya girdim. Defne fırladı oturduğu sandalyeden, kollarıma koştu. Sarıldım ona. Süper güçlere sahip bir örümcek kadın olmak istedim ki, o kollarımdayken havaya doğru yükseleyim, tavanları delerek, binanın en üst katından göğe çıkıp bambaşka bir ülkeye uçayım. Gençlerin dövülmediği, coplanmadığı, insanların gazlanmadığı bir yer bulunurdu elbet, şu dünyada.

"Defne! Ne oldu yüzüne?" diye sordum.

"Yüzümdeki sadece kir. Ama cop sırtıma geldi hala. Sırtım nefes alırken çok acıyor."

"Kaburgaların kırılmış olmasın?"

"Bilmem."

"Seni hastaneye naklettireceğim."

"Beni buradan çıkar."

"Ah Defne... Ah Defneciğim, ben sana oraya gitme demedim mi? Bak ne hale geldik. Ercan nerede?"

"Bilmiyorum. Divan Oteli'nin önünde içeri girmeye çalışanları polis engelliyordu. Efe girdi, ben Ercan'ı coplayan polise saldırdım, küfür de ettim ama İngilizce. Beni kucaklayıp bir minibüsün içine attılar. Ercan kaldırımda kaldı."

Benimle yarı Türkçe yarı İngilizce konuşuyordu ve belli ki canı yanıyordu.

"Duruşmaya kadar gözaltında kalacaksın. Dişini sık, dayan. Seni mutlaka kurtaracağım. Buradan çıkınca avukatı arayacağım. Sen de uslu dur. Kimseyle kavga etme, küfür etme. Yarın sana kitap, çamaşır, giysi ve para getiririm. Ah Defne ah! Sahip çıkamadım sana."

"Senin suçun yok, hala."

Komiser Namık geldi.

"Haydi bakalım, vedalaşın," dedi.

"Kız nefes alamıyor. Kaburgaları kırılmış olabilir. Hastaneye gitmesini istiyorum. Ya da ben bir doktor getireyim buraya."

"Biz hallederiz."

"Ettiniz zaten. Kızı bu hale siz getirdiniz."

"Hanımefendi... Handan Hanım, lütfen..."

"Defne'yi doktor görmeli..."

"Tamam. İlgileneceğim."

"Niye böyle yapıyorsunuz? Niye sürekli vuruyorsunuz, tekmeliyorsunuz gençleri? Döverek öldürüyorsunuz. Nedir onlarla alıp veremediğiniz?"

"O çocuk ölmemiş."

"Hangi ço... Haa! Nereden biliyorsunuz? Siz orada değildiniz."

"Bize bilgisi geldi."

"Katiller," dedim ben yine. Komiser duymazlığa geldi.

"O çocuk kim?" diye sordu Defne, "Ercan mı yoksa?"

"Hayır kızım, ne alakası var. Adını bile bilmiyorum."

"Handan Hanım, Defne'ye yardım etmek istiyorsanız, duruşma gününe kadar buraya uğramayın. Ben size kartımı vereceğim. Benden bilgi alırsınız. Tamam mı? Haydi, vedalaşın."

Sımsıkı sarıldım Defne'ye, "Hey, acıtıyorsun hala," dedi.

"Gördünüz mü, bakın kaburgaları kırık."

"Gördüm, gördüm. İlgileneceğim."

"Defne... Uslu dur emi. Bir daha da sözümden çıkma."

"Bunu ne zaman söyleyeceğini merak ediyordum, hala," dedi Defne.

Eve vardığımda geç olmuştu ama yine de aradım avukatı. Sabah erkenden buluşmak üzere sözleştik. Sonra balkona çıkıp ışığı hâlâ yanan komşuna seslendim. Nerime Hanım'dan, epey hırpalanmış da olsalar Efe'nin de Ercan'ın da, Allah'a şükür, evlerinde olduklarını öğrendim.

Olan Defne'ye olmuştu.

Ertesi sabah, avukat başımdan geçenleri öğrenince, beni karakola gitmekten, polislerle konuşmaktan menetti. Kendimi tutamıyordum madem, kızın başını belaya sokmamalıydım. Duruşma gününe kadar İstanbul dışına gitmemi önerdi. Sinirlerim haraptı. Sakin bir sahil kasabasında kitaplarımla baş başa kalmamda, sakinleşmemde fayda vardı. Elbette gitmeyecektim hiçbir yere, ama kabul etmiş gibi yaptım. Defne için hazırladıklarımı, kıza ulaştırması için ona verdim.

Evde televizyon hep açıktı artık. Seyretmesem de kulağım hep sesindeydi. Hangi şehirlerde ne oluyor, başka ne gibi gerçek olmayan hikâyeler uyduruluyor, hepsinden haberdar olmak istiyordum ki, bana Defne'ye sahip çıkamadığım için bir nevi ceza olsun... Büsbütün üzüleyim, perişan olayım.

Uzun beklemedim.

Hemen o gün, 16 Haziran akşamı, Berkin Elvan İstanbul'da polis tarafından vuruldu. Ekmek almaya giderken... Komaya girdi. On dört yaşındaydı. Defne, Berkin'in yerinde olabilirdi. O serseri mermi kapsülü, Defne'ye isabet edebilirdi. Odama kapandım, akşama kadar sürekli ağladım hem Berkin hem Defne için. Ağladım ve dua ettim Allah'a, her ikisi de bir an önce evlerine dönsünler diye.

Ertesi gün, yürüyüşe izin verilmediği için bir genç adam AKM'nin önünde ayakta durma eylemi başlattı. Ben evde televizyona bakıyordum, o anda. Hemen ayağa kalktım, televizyonun önünde. Kollarımı saygı duruşunda bulunur gibi iki yanıma yapıştırdım. İçim çekilip yıkılana kadar dikildim ayakta, yüreğim gençlikleri heba olan çocuklar için kanayarak. Bir saat on bir dakika ayakta durmuşum.

Ertesi gün, durma eylemine bizzat katılmak için Taksim'e gittim... Gazeteciler duranların resimlerini çekiyorlardı. Acaba yarınki gazetelerin birinde, benim fotoğrafım da çıkar mıydı? Çıkması Defne'ye zarar verir miydi? Direnişçinin kızını salmayayım da, her ikisi de cezalarını çeksinler, der miydi hâkim? Eğer yandaş bir hâkimse, vallahi derdi!

Bu ihtimali düşündüğüm an, verdim kararımı; İstanbul'dan uzaklaşacaktım. Ben burada kaldıkça, Defne'ye istemeden zarar verecek, duruşmasını olumsuz yönde etkileyecektim.

Eve döndüm, küçük bir el çantasına bir gecelik, diş fırçası, birkaç temiz tişört ve pantolon attım. Avukatıma haber verdim. Kararımdan caymamak için acele ediyordum.

Atladım arabama, hep gitmeye alışık olduğum istikamete, Ege'ye doğru gazladım. Popüler ve kalabalık olmayan bir Ege kasabasının sessiz bir otelinde, televizyon açmadan, gazete okumadan birkaç gün kalacak, kafa dinleyecek, Defne'nin duruşmasından bir gün önce dönecektim. Müzik dinleyerek süratli araba sürmek iyi geldi bana. Kafam boşaldı. İzmir'e hiç girmeden paralı yoldan Urla'ya doğru vurdum. Deniz kenarında bir pansiyona gitmekti niyetim. Fakat o kadar yorulmuştum ki, dikkatim dağınıktı, Urla çıkışını kaçırdım. Bir sonraki çıkıştan Karaburun'a çıktım, İzmir sapağından geri döner gibi yapıp dağlara doğru saptım Urla'ya diğer ucundan girmek için. Ormanın içinden geçen dar yoldan, bu kez yavaş yavaş, manzaranın tadını çıkararak ilerledim. Yaprakların arasından seçilen göğün rengi, maviden kızıla, kızıldan menekşeye, menekşeden mora dönüşüyordu. Hava karardıkça ağaçların boyları uzuyordu. Bir masalın içinden akıyordum sanki. Büyüyü bozmamak için hiç ışık yakmadım.

Önüme ilk çıkan ıssız köyün bakkalının önünde mola verdim. Açlıktan midem kazınıyor, yorgunluktan dizlerim titriyordu. Bakkaldan gofret ve su alırken, buralarda bir tuvalet var mıdır diye sordum.

"Caminin karşısındaki sokakta bir otel var," dedi bakkal. Adam benimle dalga mı geçiyordu acaba? Bir bakkalı, bir kahvesi, on kadar da evi olan köyde, otel! Herhalde bir odasına konuk kabul eden bir köy evine otel diyordu. Arabama bindim, birkaç metre sonra sola saptım, patikayı takip ettim ve karşıma, inanılır gibi değil ama gerçekten bir otel çıktı.

Hayatın çok yavaş aktığı bu sessiz ve ilkel dağ köyünde, kendini iyice saklamış, bağlara doğru uzanan otel, sanki uzun zamandır beni bekliyordu. Merdivenleri çıkıp avluya girdim. Karşımda, artık tamamen laciverte kesmiş gökte, o güne kadar gördüğüm en güzel, en parlak mehtap vardı.

"Boş odanız var mı?" dedim beni karşılayan genç kıza.

"Var efendim," dedi.

"Kırmızı şarabınız var mı?"

"Burası şarap bölgesidir."

"Peynir?"

"Beş çeşit yöresel peynirimiz var."

"Odama geçmeden önce mehtaba karşı, bir kadeh kırmızı şarap içeyim peynirle. Tuvalet nerede?"

İşaret etti. Tuvalette işimi bitirince, su çarptığım yüzümden su damlacıkları süzülerek, terasa döndüm. Kızın gösterdiği masaya çöktüm. Peynirleri getirmiş, şarabımı açmıştı bile.

Bu küçük otelin hayatıma bir başka boyut ve bir başka Handan katacağından, seyretmekte olduğum vadinin kekik kokulu yeşilliğinde, kendimi tersyüz edeceğimden, o anda hiç haberim yoktu.

HANDAN

ǝ

Handan'ın dudaklarının kenarında anlattıklarımı küçümsediğini belirten bir gülüş var. Sinirime dokunuyor.

"Niye öyle sırıtıyorsun? Abarttığımı mı sanıyorsun yoksa?"

"Hayır, ne münasebet! Ben başka şeye gülümsüyorum."

"Nedir seni bu kadar eğlendiren?"

"Bizim cemiyetimizde kadının bir türlü kurtulamadığı anaçlığı."

"Anlamadım?"

"Artık o derece benimsenmiş, ruhumuza işlemiş ki, hayatın bütün renklerinin üzerine bir örtü çektiğini fark bile etmiyoruz bu hissin."

"Hangi hismiş bu?"

"Analık."

"*Handan*, Allah aşkına sana tüm anlattıklarımdan bu sonuca mı vardın? Sana bir toplumsal tepkiyi naklettim. Haftalarca susturulamayan bir haykırışı, bir kişilik savaşını sen getirip anaçlığa mı bağladın?"

"Mübalağa etme. Bu senin anlattığın, bir harp hali değil. Bak, benim neslim işgali gördü, işgali! Halide Edib, düşman ordusunun merasimle şehre girişini bizzat izlemiş. Meclisin işgalci askerlerce basılışını, mebusların sille tokat dışarı atılmalarını, Türklerin kendi ülkelerinde itilip kakılmasının utancını yaşamış. O hırsla, Kurtuluş Ordusu'na katılmış sonra..."

"Yeter ama *Handan*! Bunları ben de biliyorum. Bir gün ülkemiz işgal edilirse, hepimiz yine silahlanır, gideriz! Benim sana anlattığım, sadece yaşam tarzlarımızı ve kişisel özgürlüklerimizi koruma savaşıydı."

"Sen hiç anlamadın beni. Meselenin vatanı kurtarmakla bitmediğini en iyi ben biliyorum, çünkü tam da o noktada başlamıştı benim esas vazifem. Düşmandan kurtarılmış vatanda, insanları da tek tek cehaletin esaretinden de kurtaracaksın ki, onca kan boşuna akmış olmasın. Halide Edip, bence orduda onbaşı olduğu kadar, romanlarındaki kadın kahramanlarına fikriyatları, şahsiyetleri ve en önemlisi, cinsellikleriyle meydan okutabildiği için de mühim biriydi."

"Meydan okuyanlardan biri de sen miydin?"

"Elbette! Ben, cinsel ihtirasın kadın tabiatında önemli bir yeri olduğuna işaret eden ilk Müslüman Osmanlı kadınıyım. Evet, sadece bir roman kahramanı olabilirim ama ezber bozanım, ben! Kocasına ve çocuklarına sadece şefkat ve hizmet vermek için yaşayan, uysal, boynu eğik kadın tiplemesinin çok dışındayım. Sana bu kadar alaka duymamın sebebi de bu zaten, sende kendimi bulmam."

Ben, *Handan*'ın trajik ölümüyle sonlanan öyküsünden korktuğum için bu konudan hep kaçmıştım. Ama işte yine peşimdeydi. En iyisi alaya vurmak olacaktı.

"Sen bende kendini mi buldun? Nasıl buldun acaba? Hangi sayfamda?"

"Sen benimle istediğin kadar eğlen, ben yine de seni ciddiyetle cevaplayacağım. Erkeklerle olan münasebetlerinde duygudan çok hazza yer vermen... İsmimizin haricinde, bizim diğer müşterek noktamız, budur işte!"

"Sen hangi aşkında hazza yer verdin ki? Büyük aşkın Nâzım'ı reddettin. O pişmanlıkla gidip yaşlı Hüsnü Paşa'yla evlendin. Sonra da kuzininin kocasın âşık olup aşkından öldün. Haz dediğin, hasta yatağında yatarken çalınmış, aceleye getirilmiş bir öpücük mü?"

"Çok aceleyle okumuşsun romanımı. Bence, serin kafayla baştan oku ki, ruhumun bütün çırpınışlarını, zıtlıklarını, buhranlarını göresin... Aslında ben biraz da senin tarifinim, Handan."

"Yok canım?"

"Tıpkı senin gibi burjuva bir kadını temsil ediyorum. Niye öyle bakıyorsun bana, Osmanlı'nın edebiyat dünyasında, cinselliğinin farkına ilk varan kadın olmak, küçümsenecek bir şey değil."

"Seni okuyan tüm Osmanlı kadınları kazan kaldırdı ve meğer bizim de cinsel dürtülerimiz varmış diye bağırarak kocalarına mı saldırdılar?"

"Hayır, ama kendilerinde de mevcut olan o damarı tanıdılar. En azından *Handan* romanını okuyanlar anladı ki, kadınların da cinsel hisleri ve arzuları var."

"Kusura bakma ama kadınlarda cinsel özgürlüğün bayraktarı, Halide Edib'den çok daha cesur adımlar atan Duygu'dur, benim için. Nurlar içinde yatsın, bir Duygu Asena'mız vardı bizim. Orduya filan katılmadı, militan kahramanlıklar taslamadı ama her türlü cinsel hakkımıza sahip çıktı yaşadığı müddetçe. Çoğumuz bedenlerimizi ve cinselliğimizi onun sayesinde tanıdık."

"O da Halide Edib'den feyz almıştır muhakkak."

"Sanmıyorum. O, tüm ataerkil davranışlara başkaldırdı. Kadınların erkekler tarafından konmuş zincirlerini kırdı."

"Senin zincirlerini de o mu kırdı?"

"Tesiri olmadı değil."

"İşte burada yanılıyorsun, Handan kardeş! Senin zincirlerin de, tıpkı benimkiler gibi, yerinde duruyor. Ben, kocama olan düşkünlüğümle, kadının cinsel ihtirasının erkeğinki kadar güçlü, yakıcı olduğunu ispat ettim ama o beni aldattığında onu bırakıp gidemedim. Çünkü Osmanlı geleneğinde, aileye bağlılık şarttı ve bu şart, benim içime işlemişti. Kuzinimin kocasına bütün benliğim ve ruhumla âşık olduğum zaman dahi, onunla münasebete giremedim. Çünkü ait olduğum muhitte, evlilik dışı münasebet, asla hoş görülemezdi. Düşünsene, sadece hissettiklerim ve hayal ettiklerim için ölümle cezalandırdım kendimi."

"Bunların benimle ne ilgisi var?"

"Lafımı kesme ki anlatayım. Aynı parçalanışı sen de yaşıyorsun Handan. Güya hürsün. Ama bu hürriyet, bu kimseye bağlanamayış, sana saadet getirmiyor. Kederler içindesin. Defne'ye bir anne sevgisiyle yapışmandan belli ki, sen de benimle aynı irsiyetin esirisin. Aile... aile... aile... Ne kadar modernleşirsek modernleşelim, fark etmiyor. Biz, bu coğrafyanın kadınları, hep aynı parçalanışı ve kafa karışıklığını yaşıyoruz. Hür olacağız, evet, fakat aileye sadakat bizim elimizi, kolumuzu hep sımsıkı bağlayacak. Bu yüzden müsavi olamıyoruz erkeklerle."

"Hiç de değil. Ben doğduğumda, çok uzun zamandır erkeklerle eşit yasal haklara sahiptik. Cinselliğimizi de idrak etmiştik, çok şükür. En azından bizler, büyük şehirlerde ve batı bölgelerinde yaşayan kadınlar, eğitimli, özgür ve eşittik."

"Her şey mükemmelse, neye başkaldırıyordu o bahsini ettiğin Gezi'deki çocuklar?"

"Her şey mükemmel değil. Kazanılmış haklarımızı kaybetmekten, daha da ileri evrensel haklara ulaşmaktan vazgeçip geriye dönmekten, ilkel bir Ortadoğu ülkesine dönüşmekten korkuyoruz."

"Tekmil haklarımızı aldık, demedin miydi?

"Haklarımız var ama giderek kâğıt üzerinde kalıyor. Adalet sistemi darmaduman, eğitim sistemimi altüst oldu. Sanat çok geri plana itildi. Tiyatrolarımız kapanıyor. İstanbul'daki opera çoktan kapandı bile. Kadına evinde oturup çocuk doğurması ve sadece çocuğuna bakması için müthiş bir teşvik var. Kadınların lehine öyle yasalar çıkıyor ki, artık

kimse kadın eleman çalıştırmak istemeyecek. Senin anlaya-
cağın, hepimizden birer Neriman olmamız isteniyor, güzel,
hoş ama içi boş."

"Benim sevgili kuzinime içi boş deme."

"Öyle olmasa, kocası sana âşık olur muydu? Neriman
senden daha güzeldi ama Refik Cemal seni zeki, eğlenceli,
eğitimli bulduğu için sevdi."

"Erkekler kelebek gibidir. Hepsi çiçekten çiçeğe konar."

"Sen gerçekten başka bir dönemin kadınısın *Handan*.
Belki kendi devrinde cinsel özgürlük öncüsüydün ama bu-
günün kadını değilsin. Yoksa asla böyle konuşmazdın."

"Hangi devirde yaşarsan yaşa, mutlu olmak istiyorsan,
bağışlamayı öğrenmelisin, Handan. İnsanların değiştireme-
yeceğin taraflarını da olduğu gibi kabul etmeyi öğren. Kendi
edep ölçülerine göre bir sınırlama yaparsan, tenkit ettiğin
hükümetten ne farkın kalır ki!"

"Yani, kelebek olduklarını peşinen kabullendiğimiz ko-
calarımız başka kadınlarla fink atarlarken, senin kuzininin
yapmış olduğu gibi, biz evde çocuk bakalım, öyle mi?"

"Refik Cemal benimle fink atmadı."

"Nasıl atsın?! Halin yoktu. Yataklara düşmüş, ölüyordun."

"Pürsıhhat olsam dahi aramızda hiçbir şey vuku bul-
mazdı. Ben, sırf o aşkı yaşamamak için öldüm. Halide Edib
beni, iffetimi korumak için öldürdü."

"Ne mutlu bana ki, Halide Edib benim romanımı yaz-
mamış. İffet uğruna ölmek istemeyebilirdim."

"Sen ne için ölmek isterdin?"

Sahi, ben ne için ölmek isterdim?

Vatan için silaha sarılıp dağlara çıkabilir miydim Halide Edib gibi? Ya da Defne yaşasın diye canımı verir miydim, şeytanla pazarlıkta? Gezi olayları sırasında tasladığım kahramanlık dahi hep ölçülüydü. Hatta yaptıklarım düpedüz öfke patlamalarıydı, aslında. Uğruna ölümü göze alabileceğim bir şey olmadığına göre, sağlıklı ve uzun yaşayıp yaş haddinden ölmek... İşte bana en yakışan ölüm!

Beni *Handan*'a beğendirecek bir beyaz yalan söyleyemedim. Sustum.

"Neyse ki, kendine karşı dürüstsün," dedi, "hayatı sevdiğine göre, hayattan korkma. Defne'yi de serbest bırak, kendine benzetmeye çalışma, emi!"

"Defne çevrecidir, senin, benim gibi cinsel özgürlüğe filan kafa yoracağını sanmıyorum."

"Çevreden tabiatı mı kastediyorsun?"

"Evet, öyle diyelim... Kâinat, senin dilinde."

"Kâinat bir bütündür, sadece ağaçtan ibaret değil ki. Hayvan da insan da kainatın bir parçası, cinsellik de, hatta dilinden düşürmediğin *özgürlük* de. Özgürlük dediğin, hürriyet ise eğer, kadınların hürriyeti analıklarıyla sınırlıdır... Bunu da öğreneceksin zaman içinde..."

Bir şeyler daha söyledi ama sesi giderek daha uzaktan geliyordu.

Handan soluyordu yine. Giydiği lacivert etek, giderek açık maviye dönüşüyordu.

"Gitmeseydin keşke," dedim, "zaten ben de gideceğim yakında, hiç olmazsa ben gidene kadar kalaydın..."

"Kalamam! Ama sen benimle daha fazla vakit geçirmek istiyorsan, Halide Edib'i anlatan kitaplar var, onları oku. Okudukça, Halide'de beni, bende ise kendini bulacaksın."

"*Handan*, sen bir hayalsin. Gerçek değilsin ki!"

"Hayal varsa, gerçek de vardır. Hayali kurulmayan, gerçek olur mu, hiç!"*

Bir rüzgâr dolandı odada. Pencerem açık kalmış. Gittim kapattım.Başımı çevirdiğimde *Handan*, hasır koltukta değildi artık. Panjuru indirip perdeyi sımsıkı çektim. Sandalyeye çıkıp yatak örtüsünü kornişin üstünden aşırdım, sırf oda iyice karanlık olsun diye. Karanlıkta dahi dönmedi yerine. Çaresizce, kalktığı koltuğa oturdum ve çok uzaktan gelen, o kendine has, hafif boğuk sesini duydum....

"Ben bir alevdim. Kendi kendimi yaktım... Sen sakın kendine bunu yapma, Handan."

Bunu kendime yapmamak için yeniden hayal kurmaya başlamalıydım. Kendim için, Defne için, hatta ülkem için güzel hayaller... Ne demişti bana adaşım, '*hayal varsa, gerçek de vardır!*'

Öğüdünü tutmak, *Handan*'ı ve Halide'yi her yönüyle çok daha iyi tanımak istiyordum. Onları tanıdıkça kendime ayna tutacağımı, hatta kendimi tersyüz edeceğimi hissediyordum. Üzerime bir şey geçirip kasabaya kadar inmeye karar verdim. Bir kitapçı mutlaka bulunurdu herhalde Urla'da.

---

* Halide Edib Adıvar - *Cumhuriyet Döneminde Bir Kadın*, Tansu Bele, sayfa 77.

DERYA

Urla çarşısının bu kadar kalabalık olabileceğini asla tahmin etmezdim. Arabamı bırakacak bir yer bulmak için dört döndüm ve nihayet önünde zar zor park ettiğim zücaciyeye girip eczanenin yerini sordum. Gözüme yansıyan güneşin altında araba kullanırken başım ağrımaya başlamıştı.

"Hangi yöne yürüseniz, eczane gelir bulur sizi," dedi, kasadaki genç kız. Sağa saptım. Sosyetik olmayan bir kasabanın hafta içinde neden bu kadar kalabalık olduğuna şaşarak yürürken sıcak tüm gücüyle yüklendiği beton zeminden tabanlarıma geçiyordu.

Kavurucu sıcağı bana hissettirmeyen, rüzgârlı tepeden vadiye bakan oteli, ne büyük bir isabetle seçmişim meğer! Alışverişimi bir an önce bitirip otele geri dönmek için acele ediyordum. Bir eczane, bir de kitapçı... Uğrayacağım yerle-

239

rin hepsi buydu. Eczane de zaten, kasiyer kızın dediği gibi, birkaç adım sonra çıktı karşıma.

Girdim, ağrı ve uyku ilaçlarımı aldım, paramı öderken eczacı hanıma, yakınlarda bir kitapçı var mı, diye sordum. Birkaç dükkân ötedeki kırtasiyeciyi tarif etti. Az sonra, oyuncaktan vazoya, pek çok şey satan geniş dükkândaydım. Raflardaki resimli çocuk kitaplarının bolluğu çarpıcıydı ama okunacak kitap azdı. Satıcı kıza aradığım kitapların adlarını söylüyordum ki, müşterilerden biri yanıma yaklaştı, bu kitapları ancak, az ileride, Kipa'nın bulunduğu meydanın üst katındaki Rüzgârgülü'nde bulabileceğimi söyledi. Kırtasiyeciden çıkıp cadde boyunca ilerledim, geniş meydanda yürüyen merdivenlerle bir üst kata çıktım. Rüzgârgülü sağ taraftaydı ve kasasında yine genç bir kadın oturuyordu.

Girdiğim tüm dükkânlarda satıcıların ya da kasiyerlerin kadın olması bir tesadüf müydü, yoksa Urla'da kadınların iş gücüne katılımı mı yüksekti, bilmiyordum ama bu, bana iyi bir işaret gibi geldi.

"Halide Edib'le ilgili kitaplar bulunur mu?" diye sordum, kasayı bırakıp yanıma gelen güzel hanıma.

"Birkaç romanı ve hakkında yazılmış iki araştırma var," dedi, "aradığınızı bulamazsanız, getirtebilirim."

Beni E harfinin rafına yönlendirdi. *Handan*'ın son baskısını ve araştırmaları aldım. Kaç gündür gazete okumamıştım. Birkaç gazete, bir iki tane de dergi seçtim. Dükkândaki diğer romanları inceledim sonra. Son çıkanlarla çok satanların yanı sıra, klasikler de vardı raflarda.

"Ne güzel bir kitabevi," dedim.

"Yeniyiz. Ailece çalışıyoruz."

"Hayırlı olsun. Satışlar nasıl?"

"Yaz aylarında yazlıkçılar var, sağ olsunlar. Kışı da, Darüşşafaka'nın huzurevinde kalan emekliler ile öğrenciler kurtarır diye düşünüyoruz."

"Huzur evi mi var Urla'da?"

"Orman içinde, çok güzel bir yer. Oradan çok gelen oluyor. Ne de olsa hepsi mürekkep yalamış insanlar."

Defne beni terk ederse, ben de bir gün oraya mı yerleşirim acaba diye düşünerek paramı ödedim, kapıya yöneldim. Ben kapıdan çıkarken eli kolu poşetlerle dolu bir kız içeri giriyordu. Önce ikimiz de yana çekilerek birbirimize yol verdik, sonra da aynı anda kapıdan geçmeye kalkışıp kapı aralığında sıkıştık.

"Aaaa, Handan Abla!" dedi genç kız.

Tanıyordum bu sesi, yüzüne baktım. Derya! İlhami'nin kızı!

"Derya! Sen ne arıyorsun burada?"

"Ben burada yaşıyorum," dedi.

"Urla'da mı?"

"Buralarda bir köyde."

"Allah Allah! Hiç bilmiyordum. Neden?"

"Hayat öyle emretti, Handan Abla."

Tanıdığım çocuksu, şımarık Derya'nın ağzına yakışan bir cümle değildi bu. Ben giderek artan şaşkınlığımı yenmeye çalışırken, "Asıl siz ne yapıyorsunuz burada? Tatilde misiniz?" diye sordu.

"Öyle sayılır. Kısa bir süre için geldim."

Bir an söyleyecek bir şey bulamadan birbirimize baktık. Derya'nın neden Urla'da yaşadığını pek de merak etmiyordum, herhalde denize yakın bir yazlıkta kalıyorlardı ailecek. "Annenle babana çok selam söyle canım," dedim.

Yüzünde tuhaf bir ifade belirdi, "Annemi kaybettim," dedi. O kadar sakindi ki, tam anlayamadığım için aptalca bir soru sordum, "Çarşıda mı kaybettin?"

"Annem öldü!"

Tanrım! Güneş, gökyüzündeki yerinden çarşının betonuna ani bir iniş mi yapmıştı ne, her yer sapsarı, sımsıcak, yapışkan bir sıvıyla kaplanıyordu sanki, dizlerim çözülüyordu. Düşmemek için kapı önünde duran kitap kolisinin üzerine çöktüm.

"İyi misiniz, Handan Abla? Hay Allah, keşke böyle pat diye söylemeseydim."

Dükkânın sahibi olduğunu sandığım genç kadın yanımıza geldi, benim halimi görünce hemen oracıktaki kafeden bir bardak su kapıp getirdi. Suyu içeceğime elime döküp yüzüme gözüme sürdüm, o sıcak yapışık sıvıyı yıkamak ister gibi. Sonra sesim titreyerek sordum:

"Neden?"

İntihar etti demesini bekliyordum. On yaşındaki oğlunun ölümünü bir türlü kabul edemeyen, sürekli sakinleştiricilerle yaşayan kederli bir kadına en yakışan ölüm, intihardı çünkü.

"Bali'de tatildeyken zehirlendi, kurtaramadık."

"Aman Allahım! Başın sağ olsun Derya. Çok ama çok üzüldüm. Baban perişan olmuştur. O iyi mi bari?"

"İyi... Olabileceği kadar."

"Sen babanı bırakmasaydın keşke, yanında kalsaydın."

"Biz beraberiz babamla. Ben birkaç aya kadar ayrı eve çıkacağım ama annemi kaybettiğimizden beri birlikte yaşıyoruz: o, ben ve David."

David sevgilisi olmalıydı. Bora'yı çabuk unutmuştu anlaşılan. Ne demişler, bu dünyada vay gidene!

"Derya inan bana annenin vefatını hiç duymadım. Yoksa mutlaka arardım. Ben de bir yıl yurtdışında kaldım. Kardeşim kansere yakalandı..."

"Miami'de oturan mı?"

"Başka kardeşim yok zaten."

"Çok geçmiş olsun."

"Geçmiş olmadı, maalesef. Ben de kardeşimi kaybettim."

Yüzüne bir gölge düştü. Bir an düşündü ve, "Handan Abla gelin isterseniz şurada oturup birer çay içelim. Belli ki birbirimize anlatacak çok şeyimiz var," dedi.

Artık dükkânın sahibi olduğunu anladığım hanım, yanımıza geldi yine.

"Söylediğiniz kitabı getirttim, Derya Hanım," dedi, "zor oldu ama sırf mimari kitaplarla ilgilenen bir dostum var da İzmir'de... Kitap burada yani."

"Teşekkürler. Biz de eski dostuz Handan Hanım'la... Böyle karşılaşınca bunca zaman sonra... Şurada oturacağız biraz. Çayımızı içince uğrar alırım," dedi Derya.

Zorlukla kalktım kolinin üzerinden, dükkânın hemen önündeki kafenin masalarından birine, Derya'nın koluna tutunarak yürüdüm. Karşıma oturdu, poşetlerini boş iskemleye bıraktı.

"Mimar olmaya mı karar verdin?" diye sordum.

"Kitaplar nişanlım için. Mimar olan, o."

"Aaa, nişanlandın mı? Ne güzel!"

"Evet. Evlenmek için evimizin inşaatının bitmesini bekliyoruz."

"Nerede eviniz, İstanbul'da mı, Londra'da mı?"

"Yok, buralarda. Babama yakın."

"Baban buraya mı taşındı?"

"Artık burada yaşıyor."

"Aaa, öyle mi? Ne zamandır?"

"Üç yıldan beri."

"David de kabul etti demek, burada yaşamayı."

"Evet."

"Zor olmuştur büyük şehirden sonra."

"Hiç şikâyetçi değil."

"Müşteri bulabilecek mi burada? İş yapabilecek mi? Dil sorunu filan..."

"Anlamadım," dedi Derya.

"Nişanlın, mimarlık yaparken yani... Adı David demiştin, değil mi?"

"David nişanlım değil."

"Sen, babam ve David'le birlikte yaşıyoruz deyince öyle zannettim. David kim peki?"

"David, annemin kocası... idi."

"Kocası mı? Neler söylüyorsun Derya?! Annen yeniden mi evlendi? Babandan boşandı mı?

"Evet."

"Neden?"

"Annem, babamın bir başkasına âşık olduğunu öğrenince boşadı onu."

Kıpkırmızı oldum. Derya bana bir imada mı bulunuyordu acaba? Şimdi ben, âşığımın karısıyla yapmamış olduğum çirkin yüzleşmeyi kızıyla mı yapacaktım, iş işten geçtikten sonra? Kalbimin o kadar hızlı çarpıyordu ki, sesi kulağıma geliyordu.

"Annen her duyduğuna inanmasaydı keşke. Dedikoducu insanlar abartırlar," diyebildim.

"Yok, bu abartı değildi, düpedüz aşktı. Babam da inkâr etmedi zaten. Aşkına sahip çıktı."

"O da mı evlendi yoksa?"

"Onun evlenmesi mümkün olamazdı, çünkü ülkemizde o tür evlilikler henüz yasak."

"Sevdiği kadın evli mi?"

"Sevdiği kişi bir erkekti. Öldü."

"AAAA!"

Doğru duymadığımı düşündüm. Aklım Defne'deyken, söylenenlere odaklanamıyorum ya, böyle oluyor işte!

"Ne dedin sen?"

"Babam, dedim, bir erkeği sevdi."

Bir şey söylemek istedim ama ağzımdan ses çıkmadı. Çıkamadı. Yüzümde nasıl bir ifade vardı, gerçekten bilmiyordum ama içimde bir ateş yanmıştı da birden, sanki dumanı boğazıma doğru çıkıyordu. Ağzım kupkuru olmuştu. Yok,

yok, olamaz! Doğru olamaz! Ama kızı söylüyor, işte! Ben duyuyorsam kızını, şu kulaklarımla... Demek ki doğru!

"Bilmiyor muydunuz sahi?"

Bir şey soruyordu bana kız, toparlamalıydım kendimi. Cevap vermeliydim.

"Nereden bileyim Derya?"

"Hepiniz burun burunaydınız. Anlamadınız mı?"

"Neyi anlamadım mı?"

"Babamla Bora'nın ilişkisini anlamadınız mı? Hissetmediniz mi?"

"Hangi Bora? Bizim Bora mı?"

"Evet. Benim de peşinden koştuğum Bora."

Ben ki onun beni Bora'dan kıskandığını sanmıştım, bir ara. Bununla gurur duymuştum! İlhami öyle âşıktı ki bana, yanımızda çalışan genç elemandan bile kıskanıyordu beni... Ah Handan aptalı... Aptalların aptalı...

"Ne diyorsun sen?! Söylediğini kulağın duyuyor mu Derya?"

"Kader insanlara böyle tuhaf tuzaklar hazırlıyor işte. Ben de önce inanamamıştım ama gerçeği kabul etmek lazım."

"Onların arasındaki yakınlığa ben bambaşka anlamlar yüklemiştim. Zannetmiştim ki beni şirketten atıyorlar, arkamdan çorap örüyorlar... Hissemi ucuza alıp bir aile şirketi kuracaklar... Hay Allah!" Önce gülmeye başladım. Gülmem kontrolünü kaybedip kahkahalara dönüştü, sonra da kahkahalara gözyaşları karıştı. Delice âşık olduğum adam, meğer ofisteki genç grafikerle... Şu işe bakın yahu, ben nasıl birine âşık olmuşum! Tuhaf sesler çıkartarak ağlıyordum artık.

Derya sabırla sakinleşmemi bekledi.

"Kusura bakma canım," dedim, "anneciğinin ölüm haberi, kardeşiminki, şu son günlerde Gezi'de yaşadıklarım, bir de bu beklenmedik... şey, birdenbire fazla geldiler herhalde, bardak taştı, sinirlerim boşaldı. Kim bilir sen de nasıl sarsılmışsındır."

"Evet, başıma gelenleri kabullenmem kolay olmadı..."

"Zavallı Deryacığım, bunca acı üstüne bir de babanın rezaleti... Nasıl kaldırabildin hepsini bu gencecik yaşında? İnsan tüm acıları sadece kendi çekiyor zannediyor. Oysa her hayat bir ağır roman."

"Öyle de, acılarımızı yaşarken bir taraftan da pişiyoruz, Handan Abla. Başa çıkmayı öğreniyoruz. Ve hayat devam ediyor. Annemin evlenmesini ben şahsen çok destekledim. Çok iyi, çok hoş bir insandır, David. Kısa süren evliliğinde çok sevgi verdi anneme. Annem iyi ki evlenmiş onunla."

Sesim titreyerek ve Defne'nin yüzüne hiç bakmadan, cesarete gelip sordum:

"Bora da vefat etmiş, öyle mi?"

"Evet. Balkondan düştü."

"Yapma! Biri mi itmiş?"

"Yoo, kaza işte. Kimi de intihar diyor."

"Niye ölmek istesin ki genç yaşında? Her şeyi vardı... Daha doğrusu başarı çizgisi yükselişteydi."

"İnsanların içyüzünü kim bilebilir ki, belki de çok mutsuzdu."

"Haklısın," dedim. Bir süre sustuk ikimiz de sonra ben, "Babamla oturuyorum dedin de... Sizin aranız iyi mi?"

"İyi. Başta çok tepki gösterdim ama ben onun Bora'yla olan ilişkisini kabullendikten sonra bir sorunumuz kalmadı. Annemin ölümü beni değiştirdi, olgunlaştırdı. Babamla aramızı düzeltmek için öldüğüne inandım annemin... Beni babamdan ayırmış olmasının diyetini ödercesine âdeta..."

"Ayırdı mı sizi annen?"

"Babamın ilişkisini öğrenince beni alıp hemen Londra'ya taşındı ve benden gerçeği sakladı. Ben babamın bizi terk ettiğini düşündüm hep... Bir başka kadın yüzünden (yanakları kızardı, önüne baktı). Her neyse Handan Abla, annemin bir sinek sokması yüzünden pisi pisine ölmüş olması çok incitiyordu beni. Bu erken ölümün bir sebebi olmalıydı. Annemi kaybettikten sonra babamın hikâyesini baştan sona yeniden dinledim ve bu sefer anlayabildim babamı. Benim okul yıllarım Londra'da geçtiği için, sizlerden daha açığım her tür ilişkiye. Zaten burada büyümüş olsaydım da fark etmezdi. Babamı seviyorum, o kimi sevmiş olursa olsun, onu hayatımın içinde istiyorum. Annemi de çok sevdi babam, beni de, kardeşimi de, haydi itiraf edeyim, Bora'yı da...Şimdi de doğacak çocuğumu sevecek inşallah."

"Hamile misin?"

"Evet, iki aylık. Bebeğin adı hazır ama evlenmek için acele etmiyoruz. Evimiz tamamlansın hele..."

"Ne olacağı belli mi bebeğin?"

"Henüz değil. Öğrenmek istemiyoruz. Kız olursa adı Eda olacak, erkek olursa Bora Can. Bu isimler, babamla benim kararımız. Hatta David'in de. Eh, Hakan'a da kabul etmek düştü. İkincinin adını da o seçer artık."

Gözlerinin içi gülüyordu Derya'nın. Mutluluğundan cesaret alarak sordum:

"David niye sizinle kalıyor?"

"Onu aramıza katan, anneme olan sevgisi oldu. Hiçbirimizin veremediği ölçüde en saf sevgiyi o verdi anneme. Damardan. Annem onu yarı yolda bırakıp gidince devam edecek gücü kalmamıştı, dağılmıştı. Ben toparladım onu, yanımda buraya getirdim.

"Londra'dan mı getirdin?"

"Annemi, David'le Bali'de tatil yaparlarken, zehirli bir sinek soktu ama orada değil, Singapur'da acilen kaldırıldıkları hastanede vefat etti. Onu almaya ben gittim, dönüşte her ikisini de yanımda getirdim Urla'ya. Annemi, ben ona doyamadan, onu hiç anlayamadan öldüğü için yakınımda istedim. David de annemden yadigâr kaldı. Babamla birlikte şarap üzümü yetiştiriyorlar şimdi."

"Ya öyle mi?" dedim sesimde hınzır bir soru tınısıyla.

"Sakın böyle bir şey düşünmeyin, Handan Abla. Babam o defterleri tamamen kapadı. Görseniz tanımazsınız. Başka bir alemde yaşıyor şimdi. Doğanın içinde, bir ağacın uzantısı gibi... Sanki bir insan değil de bir dal, bir asma, ne bileyim, toprağın bir parçası gibi. Oğlunu, karısını ve sevdiğini bağrına basmış toprakla iç içe olmaktan tuhaf bir zevk alıyor âdeta."

Çaylarımız, konuşmaktan içmediğimiz için soğumuştu. Garson yenilerini bıraktı masaya.

"Siz ne yapıyorsunuz burada?" diye sordu Derya.

"Ah Derya," dedim, "uzun hikâye. Çayları içelim de önce, ben de anlatırım..."

"Bakın ne diyeceğim, bize gelsenize akşam yemeğine. Hakan'la ve David'le de tanışırsınız. Babam da çok memnun olur."

"Olur mu acaba? Pek iyi şartlarda ayrılmamıştık babanla."

"Geçmişi sildik biz. Yeni bir sayfa açtık. Babam artık hem görüntüsü hem de ruhuyla bir dervişi andırıyor. Gelmişiyle, geçmişiyle ve herkesle barışık. Sevinir sizi görünce. Gelin lütfen."

"Yolu nasıl bulurum?"

"Hakan'la gelir, alırız sizi. Numaramı bırakayım, arayın beni."

"Çok iyi fikir," dedim, "çünkü benim de iznini almam gereken birisi var, bu gece için. Onunla buluşmayacaksak eğer..."

"Öyle mi?! Bir arkadaşla mı geldiniz? Onu da getirin."

"O gelemez," dedim, "odasından çıkmaz o."

"Hay Allah! Tanışırdık oysa."

"Tanışmanız için gelmesi şart değil." O kadar yavaş sesle söyledim ki bunu, sanırım duymadı. Sandalyenin üzerindeki poşetleri toparlıyordu.

"Arayacağım seni Derya," dedim, "Bağ Evi diye çok küçük bir oteldeyim. Oteldekiler yerini tarif ederler sana."

"Babama çok güzel bir sürpriz olacak," dedi, "mutlaka arayın Handan Abla."

Garsona işaret etti hesap için.

"Madem akşama yemek senden, çaylar da benden olsun," dedim.

"Teşekkür ederim," dedi. İkimiz de ayaklanmıştık. Öpüştük.

"Bak Derya, akşama bu sizli bizli hitabı kaldıracağız, eskisi gibi olacağız, tamam mı?" diye sordum. Beni, eskiden bana kendi taktığı isimle yanıtladı.

"Tamam, Handi."

Gitti. Ben çayları ödeyip kitapçıya geri döndüm.

Derya'nın anlattıkları kulaklarımda yankılanıyordu. Eda ölmüş. İlhami, Bora ile... Hafifçe sallanıyordum yürürken, deniz tutmuş gibi... Doğru mu duymuştum acaba? Akşam gidip duyduklarımı teyit ettirmeliydim. Belki de işletmişti beni İlhami'nin kızı.

Dükkândan içeri sarhoş gibi girdim. Elim boş gitmemek için, aslında bir Handan daha sunmak için İlhami'ye, *"Handan* romanından başka var mı?" diye sordum, genç kadına, bir tane daha lazım oldu da..."

"Bakayım var mı?"

Eğildi, bir rafın önünde oyalandı, sonra doğruldu.

"Şansınız varmış. Tek bir tane kalmış, o da sizin olsun," dedi sevinçle.

Ben bunu iyi bir işaret olarak kabul edip, *"Handan* kardeş, bu akşam misafirliğe gidiyoruz birlikte," dedim içimden, "seni tanıştırmak istediğim birileri var."

Otele döndüğümde aydınlık olduğu için *Handan*'ı göremeyecektim, ama koltukta oturmuş beni bekliyor olacağını tahmin ediyordum. Halide Edib'e dair kitapları okuyacağımdan emin olmak ve kendine biçilen rolü bana aktarmak için dil dökmeye gelecekti. Modern Türkiye'nin çağdaş ve kişilikli kadını, hayata karşı dik duran, siyasi fikirleri, vizyonu olan bir Handan... Ondan daha güçlü, aşka yenilmeyen bir rol model... Evet, çok şey istiyordu benden. Onun yapamadıklarını yapmamı istiyordu. Halide Edib, *Handan*'ı, kafa karışıklığının yaşandığı, imparatorluğun dağılmakta olduğu bir dönemde yaratmıştı. Artık işgal altında filan olmadığımız için, o benim aklımı yerinde, ruh halimi sağlıklı zannediyordu. Ve benim Defne'den nasıl bazı beklentilerim varsa, onun da, adını taşıdığım için zahir, benden beklentileri vardı. Oysa içimden bir ses, Derya'yı gördüğümden beri, hayatı zorlamanın değil, akışına bırakmanın en doğru yol olduğunu fısıldıyordu bana.

"Derya Hanım kitabını almayı unuttu," dedi kitapçı hanım, beni düşüncelerimden uyandırarak.

"İsterseniz bana verin, bu akşam göreceğim onu," dedim.

"Zahmet olmasın?"

"Hiç olmaz."

Aldıklarımı ödedim ve otelime döndüm.

Odama girer girmez, şarjda bıraktığım telefonuma koştum. Şarjı dolmuştu ve birkaç mesajım vardı. Önce Derya'nınkini okudum, akşama bekliyoruz, diyen. Avukatım da üç kere aramış. Bulamayınca mesaj atmış. "Haberler çok iyi. Defne'nin ilk celsede serbest kalacağı kesin gibi. Aramızda kalsın ama savcıyı masumiyetine inandırabildim. Duruşma üç gün sonra. Yavaştan dönüşe geçebilirsiniz."

Gerisini okumadım. Yavaştan değil, bir an evvel, yarın sabah, erkenden yola çıkacaktım. Bu güzel haberi almıştım ya, artık umurumda bile değildi İlhami'nin sevgilisinin cinsiyeti... Kimi severse sevsin. Ne yaparsa yapsın. Dünya dursun veya dönsün, yeter ki Defne evine, bana dönsün... Küçük valizime tıkıştırmaya başladım etrafa saçılmış eşyalarımı. Valizle işim bitince duşa girdim. Duyduklarımdan arınmak istercesine, çok uzun kaldım suyun altında. Bornozumla uzandım yatağa sonra, *Handan*'ı bekledim. Ona anlatacak neler vardı, neler!

Gelmedi. Aldığım Halide Edib'in kitaplarını karıştırdım ben de.

Saat yediye doğru giyindim, haftalardan beri ilk defa özenle makyaj yaptım, çıktım odamdan, lobi niyetine kullanılan terasa gidip Derya'ya telefon ettim ve telefonu resepsiyondaki genç kıza uzattım adresi tarif etmesi için. Sonra da ucu azıcık ısırılmış tekerlek bir peyniri andıran mehtaba karşı oturdum, Derya'yla kocasının beni almaya gelmelerini bekledim.

Bir fırsatını bulursam, bu akşam İlhami'ye hep merak ettiğim soruyu soracaktım. O gece, o evde olmadığı halde, neden onu tutuklamışlardı?

Yok, soramazdım. Sen o evde değildin ki, diyemezdim, yoksa kendimi ele vermiş olurdum... Ama şöyle diyebilirdim, "Amerika'ya uçtuğum sabah, gazetede resimlerini görmüştüm, İlhami... Ne işin vardı senin o sabah, o evde?"

Aptal Handan, sorulacak soru mu bu?! Ne işi olacak, sevgilisini görmeye gitmişti, besbelli!.. Kim bilir kaç kere gitmişti Bora'nın evine!

Ben defalarca, o şimdi evinde, yatağında ve belki de karısıyla sevişiyor diye üzülürken (ne kadar inkâr etseler de hep yalan söylerler bu konuda erkekler), İlhami meğer delikanlı aşığı ile birlikteymiş. O malum gece de, büyük bir ihtimalle, karısı ilaçlı uykusuna daldıktan sonra, ara sıra bana da yapmış olduğu gibi, sevgilisine bir kaçamak yapmaya kalkışmış, polisler de Bora'nın evine tam o sırada gelmiş olmalıydılar. Aralarındaki ilişkiyi bilseydim, çoktan çözerdim tutuklanma nedenini. Bir yapbozun tek eksik parçasını, Derya vermişti bana bugün. Öyle bir parça ki, atom parçacığı gibi... Yakıcı, yıkıcı, inanılmaz!

İşte sonunda kendim bulmuştum uykularımı kaçıran sorunun yanıtını!

Sormama gerek kalmamıştı.

Dışarıda korna sesini duyunca kalktım, kapıya yürüdüm. İlk gördüğüm andan itibaren, heyecandan dizlerimi titreten eski sevgilimi görmeye giderken içimde ona karşı sadece derin bir acıma hissi vardı. Tıpkı kardeşim için hissettiğim o tuhaf eksiklik duygusunun bir benzeri... Her şey ne kadar iyi olabilirdi, hak etmedin başına gelenleri hissi.

Belki de hak ettin, eski sevgilim.

Fakat suçlamamalıyım seni, çünkü gerçekten bilmiyorum bize yazılan senaryoyu mu oynuyoruz hayat denen sahnede, yoksa kendimiz mi yazıyoruz alınyazımızı?

Bildiğim, hatta emin olduğum sadece şu: Açığa çıkmayan sır asla yok bu dünyada. Bana gizli kapaklı gelişlerin görülür, sezilir diye endişelenirken, şu başına gelene bak sen, zavallı, zavallı İlhami! Bana döktürdüğün onca gözyaşının bedelini ödercesine, hem de ne biçim yakalanmışsın, sebebi olmadığın kazanın faili olarak!

Seni gidi gizli anların yolcusu, seni!

PARKTA BİR SABAH VAKTİ

Yaz başı, 2014

Gezi Parkı'nda Defne'yle çınarın altındaki bankoyu seçtik oturmak için. Sık geldiğimiz bir yer değildi, Taksim. Ben, gençliğimin cıvıl cıvıl Taksim Meydanı'nın devasa ve sevimiz bir beton alana dönüşmüş olmasına dayanamadığım için hele, hiç gelmiyordum mecbur kalmadıkça. Ama madem Levent'ten metroyla Taksim'e çıkacaktık, Defne, parka da uğrayalım, demişti. Onun İstanbul'a adım atışının ilk hatırasıydı, park. Bu ülkedeki ilk arkadaşlarını bulduğu yerdi, ilk macerası, ilk travmasıydı.

Metroya binerken aldığımız hindili sandviçleri ve ayranları poşetten çıkartıp aramıza koydum. Bir süre, düşüncelerimizle baş başa, hiç konuşmadan oturduk.

"Ne günlerdi ama, değil mi hala?" dedi Defne, üniversiteye başladığından beri giderek mükemmelleşen Türkçesiyle. Artık aramızda sadece Türkçe konuşuyorduk.

"Düşünüyorum da, bazen o olayları yaşadığımıza inanamıyorum," diye devam etti, "karakola düştüm, tutuklandım, mahkemeye çıktım, terör örgütü üyesi olmakla suçlandım. Şu anda hâlâ hapiste olabilirdim."

"Ama olmadın! Çünkü suçsuzdun. Terörist değil, protestocu bir öğrenciydin sadece."

"Terörist filan hiç olmadıramızda, hala. Uyduruk bir söylenti bu."

"Defne, senin parkta koşuştuğun günlerde belki yoktu ama sonradan birileri bambaşka emellerle sokağa döküldülerse eğer, o sırada sen tutuklanmıştın zaten. Nereden bileceksin ki? Devlet de kendini korumak zorunda."

"Kimden, halkından mı?"

"Kendini devirmek isteyenden."

"Hala, devlet devrilmez ki, hükümetler devrilir. Zaten hükümetler geçicidir. Kalıcı oldular mı, demokrasi, demokrasi olmaktan çıkar. Neyse, ileride bir gün başımızdan geçenleri çocuklarıma anlatacak olsam, atıyorum zannederler herhalde."

"Çocuklarının hangi memlekette yaşayacaklarına bağlı, kızım. Bizimki gibi Ortadoğu ülkelerinde, her genç, polis tekmesini mutlaka bir kere yer kıçına. Buralarda hükümet politikalarını eleştirmek, protesto etmek yasaktır; gençlerin de, bugünlerin moda deyimle, fıtratında baş kaldırmak vardır. Haliyle sık oluyor böyle şeyler."

"Gerçek demokrasi hiç mi gelmeyecek bizim bölgeye?"

"Bir gün mutlaka gelecek. Ben görmesem bile sen göreceksin... Haydi, sandviçini ye."

Haşır huşur jelatini sıyırdı Defne, bir büyük ısırık aldı ekmekten.

"Aslında, gerçek demokrasi diye bir şey var mı acaba? Ben Amerika'da bile olduğuna pek emin değilim," dedi.

"Ama orada hiç olmazsa protesto için sokağa dökülenler coplanmıyor, gazlanmıyor, tutuklanmıyor."

"Öyle de, Gazze'yi kan gölüne çevirenlere karşı çıt çıkmıyor. Amerika kendi menfaatleri için dünyayı karıştırırken, itirazı olanlar asla seslerini duyuramıyorlar. Orada da basın ve medya belli bir çetenin elinde. Halk orada da gerçeklere ulaşamıyor."

"Bunlar derin konular... Derin demişken, acaba bizim Derin neler yapıyor bugünlerde," dedim lafı değiştirmek için. Defne'nin ağabeyinden öğrendiği antikapitalist söylemleri dinlemeye o anda niyetim yoktu.

"Epeydir haber almadım. İyidir herhalde."

Ben ayran kutusunu açıp ağzıma dayarken, "Dur, dur, içme, bekle," dedi Defne, aceleyle kendi ayranını açıp bana doğru uzattı, "Şerefe," dedi kutuları tokuşturarak, "birlikte bir yılı devirmemizin şerefine, hala."

"Ve senin çok başarılı bir öğrenci olmanın şerefine de."

"Yeni kurduğun şirketinin de şerefine."

"İlk tanıtım dosyam Derya şaraplarının şerefine de olsun bari."

"Bak, az daha unutuyordum... Bu parkta tanıdığım arkadaşlarımın da şerefine... En çok da, elinin iki parmağı sakat kalan Sami'nin şerefine içiyorum ayranımı."

"Yaa, bir de Sami vardı, değil mi?"

"Polis, kocaman botlarıyla basmıştı da eline, küçük parmağıyla yanındaki parmağını kırmıştı. O iki parmağını artık hiç bükemiyor."

"Boş ver, piyano filan çalmıyorsa, idare eder öyle. Düşün ki, boşu boşuna kör kalanlar, ölenler oldu."

"Gezi Parkı'ndan sağlam kurtulanların şerefine de içelim o halde."

"Madem bunca kişiye ve olaya içiyoruz, akşam bizim evin oradaki İtalyan'a gidelim, buz gibi birer kadeh Frascati tokuşturalım, ne dersin? Gerçek bir kutlama olsun, kırk yılda bir."

"Hala, Teoman da gelsin mi?"

"Gelsin," dedim. Zaten Teoman'ın aramıza katılmadığı gün kalmış mıydı ki?

"Niye başka şarapla kutluyoruz ki, Derya şarabıyla kutlayalım."

"Derya şarapları henüz her lokantanın kavına girmiş değil. Özel bir şarap o. Az bulunuyor ve çok pahalı. Kadehle satmazlar."

"Evde var ama... Tam altı şişe."

"Teoman'a ikram ettiğini görmeyim! Külahları değişiriz, bak!"

"Ne demek o?"

"Çok kızarım, demek."

"Neden ama?"

"O şarapları ben özel günler için saklıyorum. Mesela senin doğum gününde veya Urla'daki dostlarımız gelecek olurlarsa, onlara ikram etmek için..."

"David gelecekti, değil mi?"

"Tanıtım kampanyası sırasında gelecek. Önümüzdeki ay."

"Artık saçlarımızı mı boyarız, kalıcı makyaj mı yaptırırız, yeni bir şeyler mi alırız?.."

"Defne!"

"Öyle ama hala."

"Nereden çıkartıyorsun bu saçmalıkları?"

"Kırıtıyorsun ona."

"Saçmalama!"

"Sen bana diyorsun ya, Teoman'ı görünce kırıtmaya başlıyorsun diye... Sen de öylesin işte... Gözlerinin içi gülüyor."

"Bak Defne... Kızdırıyorsun beni."

"Tamam, tamam! Kızma!"

David, Urla'dan şarap tanıtımı için yaptığımız toplantıya geldiğinde, Defne ilk defa özenli giyindiğimi, kuaföre gidip saçlarıma röfle yaptırdığımı görünce anlamlar yüklemişti. Ay, uğraşamayacaktım, ne istiyorsa düşünsün varsın! Sandviçlerimizi yedik sessizce. Güneşe rağmen hava henüz ısınmamıştı. Serindi.

"Üşüdünse kalkalım," dedim her zamanki gibi tedbirsiz çıkmış olan Defne'ye.

"Üşümedim. Burada oturmak hoşuma gidiyor. Bu ağaçlar varoluşlarını biraz da bana borçlularmış gibi hissediyorum."

Eliyle işaret etti, "Tam şurada bir tezgâh kurmuştu çocuklar, kahve dağıtıyorlardı. Keşke olsa da içsek."

"Sandviçini bitir, karşıdaki kafede oturalım, sıcak bir şeyler içelim," dedim. "Kitapçıya sonra yürürüz."

"Buluruz değil mi aradığım kitapların hepsini?"

"Buluruz."

"Yazarken sen de yardımcı olursun bana."

"Bana güvenme. Ben edebiyatçı değilim ama sorularını yanıtlamaya çalışırım."

"Ne kadar alçakgönüllüsün hala! Halide Edib'i seçmemin sebebi sensin, oysa."

İrkildim, "Neden benmişim?"

"E çünkü senin başucunda duruyordu o kitaplar, aldım, karıştırdım, biraz da okudum. Ta o yıllarda böyle cesur, kahraman bir kadın... Çok hoşuma gitti. Hoca sınıfa, bir yazar tanıtma ödevi verince ben hemen onu seçtim."

"İyi etmişsin," dedim, "Biliyor musun Defne, bana adımı babaannem onun bir romanının başkarakteri yüzünden vermiş."

"Odanda bulduğum kitapta, *Handan* diye bir romanı olduğunu okumuştum ama senin adının o yüzden konduğunu bilmiyordum. "

"Yaa, işte öyle."

"Desene doğru yazarı seçmişim. *Handan* da var mı evde?"

"Kütüphanemde var. Veririm sana eve gidince. Başka romanlarını da (bir hışırtı duydum arkamda) okuman lazım. *Handan*'la başla ama değişik dönemlerine ait en az dört romanını okumalısın." Sustum çünkü hışırtı devam ediyordu. Sanki altında oturduğumuz ağacın dallarının ardında, biri bizi izliyordu.

"Defne, sen de duydun mu?" dedim.

"Neyi?"

"Sesi. Arkamızda biri var gibi, sanki."

"Olacak tabii, hala. Park burası."

O anda, tam karşıdaki ağacın kalın gövdesinin yanından biri geçti, eteğinin ucunu görebildim sadece... Lacivert... Uzun... Bir beyaz gömlek de mi gördüm?

Birkaç yaprak düştü kucağıma.

"Sonbahar değil ki, neden düşüyor bu yapraklar?"

"Rüzgâr var," dedi Defne.

İçimde tuhaf bir his, burnumda bildik bir lavanta kokusu... Yok, olamaz! Bir yıldan beri görünmedi bana, şimdi niye gelsin ki? Gelmesi için bir sebep yoktu.

"Seni özlemiş olamaz mıyım?" dedi o gırtlaktan gelen tuhaf kalın sesiyle.

"Defne sen de duydun mu?"

"Neyi?"

"O duyamaz ki beni," dedi o, "ben senin için geldim."

"Defnem, haydi toparlan karşıdaki kafeye git, ikimize de birer çay söyle, ben de geliyorum biraz sonra."

"Ne güzel oturuyorduk! Kışın hiç kısmet olmamıştı ya gelmek, özlemişim parkı. Bende çok hatırası var..."

"Canım çay çekti de..."

"Sen dur burada, ben metro girişindeki büfeden alıp geleyim hemen."

"Yaşa sen!" dedim.

Defne çöplerimizi poşete doldurdu, poşeti eline aldı, yürüdü.

Arkasından baktım. Poşeti yanından geçtiği çöp kutusuna attı. Canım benim, tertipli, duyarlı kızım. Evet, evet, kesinlikle başka hassasiyetleri olan bir kuşak, bunlar! O uzaklaşınca ben de ağaçların arasına doğru gittim.

"Buradayım, Handan."

Döndüm, bir ağacın dalında mı oturuyordu, yoksa ağaçla mı bütünleşmişti bilmiyorum, yüzünü görebiliyordum sadece ve büyük siyah gözleri parlıyordu.

"*Handan*... Geldin yine!"

"Bu sefer sana veda etmeye geldim."

"Ne kadar çok bekledim seni, ben. En çok da İlhami'yle yeniden karşılaştığım gece bekledim. Gelmedin. Geleydin o geceyi anlatacaktım sana."

"O gece sen içini kemiren vicdan azabından da, İlhami'ye olan bağından da kurtuldun. Tamamen... Artık bana ihtiyacın kalmadı. Hayatın yoluna girdiği için müsterihim."

"Evet, kötü başlayan ama iyi biten bir yıl sona erdi. Ben yeniden çalışmaya başladım. Küçük bir reklam şirketi kurdum. Eski ekipten kızlarla çalışıyorum. İlk işimiz, İlhami'nin şaraplarının tanıtımı olacak. Üzümlerini başkalarına satacağına, kendi şarabını üretmeye ben ikna ettim onu. İki iş daha aldım sonra. Hepsi butik işler... Fazla kârlı değil ama keyifli."

"Senin namına çok memnun oldum."

"Ve en önemlisi, *Handan*, Defne İstanbul'a alıştı. Ağabeyi onu yanına çağırdı ama kız burada benimle kalmayı tercih etti. Şu anda Halide Edib'le ilgili bir tez hazırlıyor.

Başucumda bulduğu kitaplarını okumuş, pek sevmiş senin yazarını."

"Ne iyi! Bir gün lazım olabilir Halide Edib'in siyasi tecrübeleri ona."

"Sanırım bu gece senin romanınla başlayacak, Halide Edib okumaya."

"Ona *Handan*'ı mı okutacaksın?"

"Önce *Handan*'ı, sonra da *Sinekli Bakkal*'ı... Aslında madem bir tez hazırlayacak, tüm Halide Edib romanlarını okuması iyi olur (bir adam yürüyordu bana doğru). *Handan*, gitmeliyim galiba," diye fısıldadım, "yakalanmak üzereyiz."

"İyi misiniz hanımefendi," dedi yaklaşan adam.

"Pardon?"

"Kayboldunuz zannettim de... Sizi gördüm... Ağaçların arasında bir şey arar gibi..."

"Kendi kendime konuşuyorum sandınız, değil mi? Merak etmeyin, aklımı kaçırmadım. Köpeğimi arıyordum da... Konuştuğum oydu yani..."

"Bulamadınızsa, birlikte arayalım. Yardımcı olayım size."

"Gerek yok. O evin yolunu biliyor. Eve gitmiştir."

"Yakında mı oturuyorsunuz?"

Haydaa! Bir bu eksikti.

"İyi günler size," dedim ters bir ifadeyle. Adam uzaklaştı.

"Bak, erkeklerin hâlâ alakasını çekebiliyorsun, adaşım," dedi *Handan*, yüzünde müstehzi bir gülüşle, "bunu hiç yabana atma. Hayatını da sadece Defne'ye göre tanzim etme ki, zamanı geldiğinde kızın uçmasına imkân verebilesin. Handan, inan bana, gönül kapını kapaman için henüz hayli erken. Zaman çok çabuk geçer, Defne'nin peşinde koşarken, bir de bakmışsın o düzenini kurmuş, sen yine tek başına kalmışsın. Ona kol kanat gereceğim diye kendi hayatını sakın ihmal etme!"

"Önerilerin için teşekkür ederim."

"Bilhassa bu nasihatimi unutma, emi!"

Lacivert bir etek savruldu çınarın gövdesinin yanından... Uzanıp ağacı tuttum, ona dokunmak ister gibi... elime bir uğur böceği kondu.

"*Handan, Handan,*" diye seslendim. Beni yanıtlamasını bekledim ama sadece rüzgârın sesiydi duyduğum.

Üfledim elimin üstündeki böceği, uçmadı. Böcekle birlikte banka doğru yürüyüp eski yerime oturdum. Defne dikkatle taşıdığı karton bardaklarla uzaktan göründü. Hızlı adımlarla yanıma geldi.

"Soğutmadan hemen iç, hala," dedi çayımı uzatarak.

"Sana çok komik bir şey söyleyeceğim, bana bir adam asıldı, az evvel," dedim.

"Ona da kırıttın mı?"

"Hayır."

"Beğenmedin o halde."

"Benim kuşağım sokakta asılanlara yüz vermez. Öyle yetiştik biz."

"Aferin size ama bana laf sokuyorsan, Teoman'ı sokakta bulmadım ben. Sınıfımda buldum."

"Biliyorum," dedim, "Teoman'a hiçbir itirazım yok!"

Uğurböceği hâlâ elimin üzerindeydi.

"Aç avucunu Defne."

Biraz şaşkın avucunu açtı. Böceği dikkatle eline aktardım. "Bak, bu bir 'ladybird', biz uğurböceği deriz. Demin elime kondu, senin için sakladım."

"Ah ne güzel bir şey bu! Çok teşekkür ederim. Şans getirecek bana. Hatta ikimize birden şans getirecek."

Handan'ın romanda siyah üstüne kırmızı puantiye bir giysi giyip giymediğini hatırlamaya çalıştım. Eve dönünce o niyetle karıştıracaktım kitabı. Giymemiş bile olsa, *Handan* bir uğurböceği gibi iyi gelmişti bana ve ben şu anda avucundaki siyah benekli kırmızı böceği hayranlıkla seyreden Defne'ye, "Onu sana başka bir *Handan* yolladı," diyebilmeyi istiyordum. Ama delirdiğimi zannetmesin diye tuttum kendimi. Belki ileride bir gün... Beni çok daha iyi tanıdığında... Birden minicik kanatlarını açtı ve uğurunu Defne'ye emanet bırakarak, kızın avucundan uçtu gitti böcek. Arkasından, "Güle güle, adaşım," diye fısıldadım.

"Bir şey mi dedin, hala?"

"Dedim ya, bir yıl öncesine göre ne kadar iyi durumdayız, değil mi, Defne?"

"İnanamıyorum sana! Öyle mi düşünüyorsun sahiden? Bak, bize yardımcı olan doktorlar, altı-yedi yıllık hapis cezasıyla yargılanıyorlar. Hatta yasa bile çıkarttılar, bundan böyle sokakta bayılacak olsan, hiçbir doktor yargılanma korkusuyla kimsenin yardımına koşamayacak... Sonra hala, sınıfımda kardeşleri ilkokula giden arkadaşlarım var, kardeşlerinin okulları yaz sonunda ya İmam Hatip'e dönüşürse diye endişe içindeler, sonra..."

"Defne..."

"Lafımı kesme lütfen, sonra canları ne isterse, bir torba yasa icat etmişler... Gecenin geç saatlerinde..."

"Defne, dur bir dinle! Ben iyiyiz derken, sadece kendi kişisel hayatımızı kastetmiştim. Kanayan yaralarımızı sardık, ölüm acısına da, şu Gezi Parkı yüzünden başımıza gelenlere de aslanlar gibi göğüs gerdik, işlerimizi yoluna koyduk. Yalan mı?"

"Ama kendimizi yaşadığımız toplumdan ayrı tutamayız ki... Bunca haksızlık varken..."

"Hiç kimse için her şey aynı anda harika olamaz! Mümkün değil bu. Kaldı ki, bu memlekette seninle benim gibi düşünmeyen ve halinden memnun olanlar çoğunlukta. Bunu da unutma!"

"Evet. Ne yazık ki öyle."

"Defne, çok mu mutsuzsun burada? Amerika'ya dönmek ister misin, kızım?"

"Hayır, hala. Oradaki eşitsizlik de, haksızlıklar da çöp gibi gözüme batıyordu benim."

"Ama en azından yasaların her insan için eşit şartlarda işlediği bir sistem var orada. Evet, haksızlık, şiddet her yerde var. Daha geçenlerde bir zavallı siyah çocuğu döverek öldürdüler polisler, hepimiz seyrettik televizyonlarda. Şimdi o polisler yargılanacak ve cezalarını çekecekler. Sistem, katil polisleri korumayacak. Amerika ile aramızdaki fark burada işte."

"Her nerede yaşıyorsam, doğru bildiklerim için savaşmak isterim, ben. Şimdi buradayım madem, buradaki yanlışları düzeltmek için çalışırım ben de."

"Başını belaya sokmadan inşallah!"

İçini çekti, bir büyük yudum aldı çayından. Onun yaş-larındayken, toplumdaki haksızlıklarla, aksaklıklarla hiç il-gilenmediğimi, tek derdimin sevgilimle evdekilere yakalan-madan buluşmalarımız olduğunu hatırlayıp utandım hafif-çe. Bizden öncekilere inat, tamamen siyaset dışına itilmiş bir kuşaktık, biz. Elimizde pankartlarla sokaklara dökülmedik, coplanmadık, tutuklanmadık, işkence görmedik. Başka sı-kıntılarımız oldu, bizim. Bu sistemin içinde, çok parası veya yaslanabileceği bir cemiyeti, tarikati ya da en azından bir 'yakını' olmayana, ayakta kalmak kolay değildi. Ama bir ya-kınınız varsa ve o yakınınız önemli bir mevkideyse, bir tra-fik kazasında birini öldürebilir, buna rağmen yargıcın önüne dahi çıkmadan sıyırtabilirdiniz. Cebinizde yeterli para varsa da mümkündü adaletten kaçmak. Kısacası, 'Adalet' sadece iddialı bir kadın adıydı ülkemizde, tıpkı 'Vefa'nın da sadece bir semt adı olması gibi!

Çaylarımızı içerken konuşmadık Defne'yle. Her ikimiz de düşüncelere dalmıştık. Bir süre sonra, "Düşündüm de hala, bütün bu yaşadıklarımızı yazsana sen," dedi bana.

"Nereden çıktı şimdi bu?"

"Madem senin bir yayınevin varmış eskiden, biliyorsun-dur bu işleri."

"İyi de, niye yazayım?"

Defne, benim ona hep yaptığım gibi, elini uzatıp, sevgiy-le yanağıma dokundu.

"Çünkü hala," dedi, "söz uçar, yazı kalır!"

"Haklısın," dedim, "geçen yaz yaşananlar yazılmalı aslında. Başbakan'ın parka yapılacak binanın ön cephesini birilerine söz verdiği çalınmıştı kulağıma. Duyduklarım dedikodu değil de gerçekse, ileride bir gün Gezi Parkı yıkılacaksa eğer, bari okunacak bir hikâyesi olsun!"

"Bence senin hikâyen de yazılmalı. *Mücadele eden her kadının hikâyesi yazılmalı.*"

"Belki de bir gün sen yazarsın yaşadıklarımızı. Edebiyatı seçen sensin."

Beni yanıtlamadı. Bir yazar olmanın hayalini mi kuruyordu acaba?

"Daldın. Ne düşünüyorsun?" diye sordum.

"Ne kadar iyimser olduğunu. Keşke ben de öyle olsam."

"Evet iyimserim, çünkü yaşadığım sürece, her karanlığın ardından güneşin yeniden doğduğuna şahit oldum. Ayrıca şuna da inanıyorum, en güzel şafak, hep en sert fırtınadan sonra sökendir."

İçimden dua ettim Defne'ye pek de inanmadan söylediklerimin eşref saatine rast gelmesi için. Dingin, huzurlu, barışık günlere o kadar çok ihtiyacımız vardı ki çünkü!

Çaylarımızı bitirince kalktık, yan yana, Taksim'e çıkan merdivenlere doğru yürüdük. Güneş yükselince hava iyice ısınmıştı. Zaten söylenen oydu ki, bizi aşırı sıcaklar bekliyordu bu yaz. Buyursun gelsindi tüm şiddetiyle sıcaklar. Nelerle başa çıkmamıştık ki biz ikimiz, sıcaklardan mı korkacaktık. Omuzuna kolumu atıp kendime doğru çektim Defne'yi, güneş kokan saçlarını kokladım.

Taksim'in meydanını hızlı adımlarla geçip Beyoğlu'na çıktık. Sabahın henüz erken saatlerinde olduğumuz için tenhaydı cadde. Apartman girişlerini mesken tutan sokak satıcıları, çalgıcılar, dansçılar, hokkabazlar henüz yerlerini almamışlardı kapı diplerinde. Dilenciler bile yoktu ortalıkta. Pastaneler, gıda satan yerler açıktı ama sanat galerileri kapalıydı. Dükkânların bazıları ise yeni açılıyordu.

Vitrinlere bakarak, kol kola yürüdük Tünel'e doğru.

Şansımız varmış, Defne'yi götürmek istediğim Robinson Kitabevi açılmıştı. Üstelik almak istediğimiz kitapların hepsi vardı raflarında. Defne, İngilizce kitapların önünde oyalanırken, ben birlikte seçtiğimiz Halide Edib üzerinden kaleme alınmış, *Türk Modernleşmesi ve Feminizm* adlı doktora tezini, Tansu Bele ve İpek Çalışlar'ın Halide Edib kitaplarını ve dükkândaki tüm Halide Edib romanlarını toparlayıp kasaya yöneldim. Önümdeki birkaç kişinin ödeme yapmasını beklerken gözüm tezgâhın hemen yanına istiflenmiş bir kitaba takıldı. Beyaz bir bulutun indiği masmavi gökyüzü! BİZ BURADA İYİYİZ. Kapak ve adı hoşuma gittiği için elime alıp evirip çevirdim. İncecik bir kitaptı, yazarının adını hiç duymamıştım ama karıştırırken, son sayfasındaki cümle gözüme çarptı:

...Nereye gidersen git, kendi hikâyenle baş başa kalırsın sonunda...

"İlk romanı mı?" diye sordum tezgâhtara.

"Barbaros Altuğ'un mu? Sanırım bir kitabı daha olacaktı."

"Genç bir yazar olmalı."

"Öyleymiş."

"Onu da alayım," dedim elimdeki kitabı uzatarak, "Defne bir tane de genç bir yazardan okusun... Şey... Kızım için alıyorum da..."

"Bu da zaten Gezi olaylarına karışmış üç gencin hikâyesiymiş... Henüz okumadım ama iyi diyorlar."

"Yok artık! Bu kadarı da olmaz ama," dedim. Adam hayretle baktı yüzüme.

Gerçekten inanılır gibi değildi!

Sonuçta herkes ya kendi hikâyesiyle baş başa kalıyor ya da kendi hikâyesini bir kitapta buluyordu mutlaka!

Ve (kim demişti bunu, hatırlamıyordum) bu dünyada yaşayan herkesin hayatı bir romandı, eğer anlatan iyi bir dinleyici bulduysa.